SÊR STRYD
Y POPTY

SHERLOCK HOLMES

A

SAM H... ...A PERIS

SHERLOCK HOLMES
A
DIFLANIAD Y
DIEMWNT

SAM HEARN

ADDASIAD NIA PERIS

RILY

Cyhoeddwyd gan Rily Publications Ltd.
Blwch Post 257, Caerffili CF83 9FL

Addasiad Cymraeg gan Nia Peris
Hawlfraint yr addasiad © Rily Publications Ltd, 2017

ISBN 978-1-84967-378-5

Cyhoeddwyd yn wreiddiol yn Saesneg yn 2016 o dan y teitl
Baker Street Academy: Sherlock Holmes and the Disappearing Diamond
gan Scholastic Children's Books, argraffnod Scholastic Ltd

Hawlfraint y testun a'r darluniau © Sam Hearn, 2016

Mae Sam Hearn yn datgan ei hawl i gael ei adnabod fel awdur a darlunydd y gwaith hwn.

Y mae cofnod catalog CIP i'w gael ar gyfer y llyfr hwn o'r Llyfrgell Brydeinig.

Argraffwyd a rhwymwyd ym Mhrydain
gan CPI Group (UK) Ltd, Croydon, CR0 4YY
defnyddiwyd pren o goed a dyfwyd mewn coedwigoedd cynaliadwy.

Ffuglen yw'r cyhoeddiad hwn. Mae'r enwau, cymeriadau, lleoedd a
digwyddiadau yn gynnyrch dychymyg yr awdur neu wedi eu defnyddio yn
ffuglennol. Os oes unrhyw debygrwydd i unrhyw berson byw neu farw,
sefydliadau busnes neu leoliadau, cyd-ddigwyddiad ydy hynny.

Trwyddedwyd y defnydd o gymeriadau Sherlock Holmes drwy garedigrwydd
y Conan Doyle Estate Ltd (www.conandoyleestate.com). Cedwir pob hawl.
Defnyddir y cymeriadau, a grewyd gan Syr Arthur Conan Doyle, yma drwy ganiatâd
caredig Jonathan Clowes Limited, ar ran Arthur Conan Doyle Characters Ltd.

Cyhoeddwyd gyda chymorth ariannol Cyngor Llyfrau Cymru.

RILY
rily.co.uk

Blwyddlyfr

Dewch i gwrdd â'r dosbarth ...

SHERLOCK HOLMES
Ymennydd mawr neu ben bach?
Cawn weld.

Bosib iawn y bydd yn ...
pwy a ŵyr?
Dirgelwch ar ddwy droed.

JOHN WATSON
Y disgybl newydd yn yr ysgol.
Caru sgwennu, darlunio, bwyta
bisgedi ac yfed siocled poeth.

Bosib iawn y bydd yn ...
feddyg – efallai!

MARTHA HUDSON
Arweinydd y dosbarth. Doniol a
hynod o hyderus.

Bosib iawn y bydd yn ...
SERENNU YM MHOBMAN!

JAMES MORIARTY

Arch-elyn Sherlock ... Mae'n boen, yn hunanol ac wastad yn ymddangos ar yr adegau mwyaf anghyfleus.

Bosib iawn y bydd yn ... gorchfygu'r byd.

MATH A HARRI BAKER

Bois y Becws. Efeilliaid sydd â'u tad yn un o dditectifs pwysig y ddinas!

Bosib iawn y byddant yn ... dilyn ôl traed eu tad ac yn cadw Llundain yn ddiogel.

DAFS

Wastad yn colli popeth! Ie, popeth.

Bosib iawn y bydd yn ... fentor bywyd (wedi iddo roi trefn ar ei fywyd ei hun).

BARTI

Hen ffrind John o'r ysgol gynradd.
Bywiog, cyfeillgar a hynod o cŵl.

**Bosib iawn y bydd yn ...
ddylunydd graffeg.**

MR ADWY

Yr athro gorau yn yr ysgol.
Yn dod â'r hwyl i'r 'stafell
ddosbarth ERS OES PYS!

**Bosib iawn y bydd yn ... enwog
yn hanes Ysgol Stryd y Popty.**

BASKERVILLE

Ci gorau'r byd am ddatrys dirgelion!
Yn gallu arogli bisgedi hufen cwstard
o filltiroedd.

**Bosib iawn y bydd yn ...
hel mwythau.**

Llundain.

Nid nepell o Stryd y Popty.

Sherlock! Sherlock!

Fel hyn mae hi o hyd – mae Sherlock wastad gam neu ddau ar y blaen i bawb.

Ty'd yn dy flaen, Watson!

Wastad ar drywydd y cliw nesaf.

WFF!

Ie, wn i, Baskerville!

Dwi'n rhedeg nerth fy nhraed.

Ysgol Stryd y Popty
Annog rhagoriaeth a meithrin doniau

Ysgol Stryd y Popty
Stryd y Popty
Llundain

Annwyl Mr a Mrs Watson,

Yr ydym yn falch iawn o gael derbyn John yn ddisgybl yn Ysgol Stryd y Popty ac edrychwn ymlaen at ei groesawu ddydd Llun yr 8fed. Mae'n bleser gennyf amgáu ein prosbectws diweddaraf, sy'n cynnwys gwybodaeth fanwl am ein rhaglen ddysgu amrywiol a'n dewis rhagorol o weithgareddau allgwricwlaidd. Os oes gennych unrhyw gwestiynau, mae croeso ichi gysylltu â mi'n uniongyrchol neu drwy fy nghynorthwyydd, Mrs Siencyn.

Yn y cyfamser, pob dymuniad da ichi wrth ichi gyrraedd yn ôl i Lundain. Gobeithio y bydd eich taith yn un hwylus.

Mrs M. Cadwaladr

Mrs M. Cadwaladr
Pennaeth
BA Anrh. (MA)

Ysgol

yn y
ldinas

tryd y Popty

YSGOL STRYD Y POPTY, 1895

A ninnau'n cynnig arlwy helaeth y tu allan i'r ystafell ddosbarth, o glybiau gwyddbwyll a grwpiau gemau bwrdd i weithgareddau chwaraeon ac amrywiaeth o gymdeithasau cerdd a drama, Ysgol Stryd y Popty yw'r dewis gorau oll i fyfyrwyr sydd eisiau darganfod a mireinio eu diddordebau a'u doniau wrth iddynt ddatblygu.

Staff Blwyddyn Gyntaf yr Ysgol:

Mrs Cadwaladr, Pennaeth
Mrs Siencyn, Cynorthwyydd Gweinyddol
Mr Ffransis, Dirprwy Bennaeth, Saesneg
Mr Morgan, Mathemateg, TG
Mr Brwmstan, Gwyddoniaeth, Technoleg
Ms DeRossi, Hanes, Ieithoedd (achlysurol)
Mrs Parri, Celfyddydau, Cerddoriaeth
Mr Adwy, Ieithoedd
Mr Heini, Miss Hopcyn (Addysg Gorfforol)

1

JOHN WATSON

Yn hoffi: darllen, sgwennu, dwdlan.
Eisiau bod yn feddyg. O bosib!

Antur ... Miri ... Helbul ... Nid fel'na roedd hi'n arfer bod, cofiwch. Roedd pethau'n wahanol cyn imi gwrdd â Sherlock Holmes. Ond beth am imi ddechrau yn y dechrau, cyn imi eich drysu chi'n llwyr?!

John ydw i. John Watson. Ie, dyna fi fyny fan'na, gyda'r sbectol a'r wên hurt. A dweud y gwir, ro'n i ar bigau'r drain ar fy niwrnod cyntaf yn Ysgol Stryd y Popty! Ro'n i wedi bod dramor ers oes, a dim ond ambell atgof oedd gen i o'r adeg pan fues i'n byw yn Llundain ac yn mynd i ysgol go iawn fel hon ... Ac felly dyna fi, yn sefyll allan yn hollol amlwg, y "bachgen newydd" heb ffrindiau – yn nerfau i gyd, fymryn yn gyffrous, ac i wneud pethau'n waeth byth ...

A! John Watson. Rwyt ti braidd yn hwyr. Roedden ni'n dy ddisgwyl di'r bore 'ma.

O na! Mrs Cadwaladr yw hon, fy mhennaeth newydd i. A finnau wedi ei gwylltio hi'n barod. Bosib iawn nad dyna'r ffordd orau i ddechrau fy niwrnod cyntaf mewn ysgol newydd. Wps!

Mi gochais i'n syth ac ro'n i'n llawn cywilydd, ond diolch byth mi drodd Mrs Cadwaladr yn glên i gyd mewn dim o dro. Roedd hi'n teimlo trueni drosta i, dwi'n meddwl.

Coch fel tomato!

Cyflwynodd Mrs Cadwaladr fi i fy athrawes newydd, Ms DeRossi.

Yna cefais lyfrau gwaith newydd gan yr ysgrifenyddes, Mrs Siencyn, i mi gael dechrau ar fy astudiaethau. Ro'n i'n meddwl y byddai Mrs Cadwaladr yn fy anfon i'n syth i'r dosbarth wedyn, ond na – roedd disgybl arall am fy nhywys i o amgylch yr ysgol.

(Ms DeRossi)

Hynod o smart ↑

2

- CNOC, CNOC -

"O, Martha, dyna ti. Dyma ein disgybl diweddaraf, John Watson. Tybed allet ti gadw cwmni iddo heddiw wrth iddo setlo?"

(Dyma Martha. Gwên hyderus a direidi lond ei llygaid hi.)

Haia, John. Ti'n iawn?

Croeso i Ysgol Stryd y Popty.

Dechrau da, yndê? Ro'n innau'n meddwl hynny hefyd, ond yna fe wenodd hi'n ddireidus a sibrwd, "Ti 'di cochi braidd, blodyn!" O na. Does 'na ddim gobaith! Fel hyn y bydda i weddill fy oes ...

DIM GOBAITH →

Pwy 'di pwy yn Stryd y Popty

Dechrau da i'th ddiwrnod cynta, John!

Dim cloc larwm yn tŷ chi, nag oes? He he.

Ia, iawn, dwi'n gwybod. Dwi byth yn brydlon.

Mae Mam wastad yn tynnu coes drwy ddweud 'mod i'n hwyr i 'ngenedigaeth fy hun, felly does yna'n bendant ddim gobaith imi rŵan. Be alla i ddweud?

Paid â phoeni, John, 'mond jocian ydw i. Ty'd, dwi eisiau i ti gwrdd â ffrind da i fi.

Gwenodd Martha a rhoi pwniad bach clên imi, ac yna mi ddechreuon ni grwydro coridorau'r ysgol.

Haia, Martha!

Haia, Alys!

Dyma John, mae o'n newydd.

Dda gen i gwrdd â ti, John.

Hei, Nisha! Haia, Ems! Na, wela i chi nes 'mlaen.

Dwi'n edrych ar ôl John, y disgybl newydd.

Dim probs, welwn ni ti wedyn.

Braf cwrdd â ti, John!

Ac yna, o nunlle, daeth athro trawiadol yr olwg allan o ystafell ddosbarth o'n blaenau ni.

O, helô, Mr Adwy. Dyma John. Mae o'n cychwyn yma heddiw.

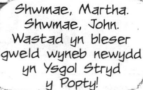

Shwmae, Martha. Shwmae, John. Wastad yn bleser gweld wyneb newydd yn Ysgol Stryd y Popty!

Mi fydda i'n edrych ymlaen dy weld yn fy nosbarth, 'ngwas i.

"Mae hi wastad yn syniad da bod yn glên gyda'r athrawon," ychwanegodd Martha wrth iddo gerdded ymaith. "Dyna Mr Adwy – mae'n un o'r goreuon."

7

Felly mae Martha'n un dda! Er iddi dynnu fy nghoes i braidd! Mae hi mor ffraeth ac yn HYNOD o hyderus, ac mae hi'n nabod pawb yn yr ysgol bron, hyd yn oed yr athrawon!

"Hei, dacw Barti," pwyntiodd Martha at fachgen ifanc bywiog oedd yn anelu tuag aton ni. "Haia, Barti, dyma John."

BARTI!!!!

JOHN!

Waw. Sôn am fyd bach! Alla i ddim credu 'mod i wedi cwrdd â rhywun dwi'n ei nabod yn fy ysgol newydd! Roedd Barti'n un o fy ffrindiau gorau i pan o'n i'n iau. Ac ydi, felly, mae Martha'n nabod PAWB!

Barti! Waw, mae hyn yn anhygoel. Dwi ddim wedi dy weld di ers yr ysgol gynradd!

Mae'n wallgo, tydi? Ble fuest ti, John? Mi ddywedodd Mam dy fod ti wedi symud i ffwrdd.

Do! Mae'n stori hir ...

Meddygon yw Mam a Dad. Mae Dad yn gweithio i'r lluoedd arfog, felly rydyn ni'n symud byth a hefyd! Rydyn ni wedi byw mewn llwyth o lefydd gwahanol – Lloegr, yr Alban, yr Almaen, Sbaen – ond dydw i ddim yn cofio pob un ohonyn nhw. Beryg 'mod i'n rhy ifanc. Yn y Dwyrain Canol fues i ddwetha, am fod Dad yn gweithio yn Afghanistan.

Waw! Cŵl. Felly ti yw'r bachgen newydd 'te?

Ie, debyg iawn!

Mi fyddi di'n hapus yma. Mae 'na ddigon o hwyl yn Ysgol Stryd y Popty. Hei — sôn am hwyl, wyt ti wedi cwrdd â Sherlock eto?

Ha! Naddo, ddim eto. Fo fydd yr uchafbwynt.

SHERLOCK?

Ha ha! Ie, wrth gwrs! Chredwch chi byth beth sy'n digwydd yn y labordy ... Wela i chi wedyn, bois.

"Pwy 'di Sherlock?" gofynnais wrth inni adael Barti a mynd yn ein blaenau ar daith ddirgel Martha.

Fo ydi'r ffrind da y soniais i amdano — mi fyddi di'n ei hoffi! Ty'd yn dy flaen!

Wel, pwy sy'n hogyn da?! Wyt wir, ti'n hogyn mor dda! Ty'd, Mistar Coesau Fflwff! Ti'n ddigon o sioe yn dy drowsus blewog!

Ie, wn i ... ro'n innau'n meddwl mai gyda fi roedd Martha'n siarad am eiliad hefyd. Ond na — mae'n debyg bod gan yr ysgol yma ei chi ei hun hyd yn oed! Gwych yndê?!

DYMA BASKERVILLE

Y gofalwr, Mr Musgrave, a'i wraig sydd biau'r ci, medd Martha, ond mae'n cael crwydro i bobman! Mae Martha'n cael mynd ag o am dro weithiau hefyd.

Fe fuon ni'n ei fwytho am sbel hyd nes iddo ddianc ar antur arall ar bedair coes. Dilynais innau Martha i'r bloc gwyddoniaeth i gwrdd â'i ffrind dirgel hi ...

Roedden ni newydd groesi trothwy'r ystafell ddosbarth pan glywon ni lais yn galw o'r ochr draw i'r ystafell ...

2

SIOE SHERLOCK

Haia, Sherlock. Amseru perffaith ar gyfer beth?

Dyna'n union ro'n innau am ei wybod ... Wrth inni gerdded i mewn i'r ystafell wyddoniaeth, prin y gallwn i weld dim drwy'r holl fwg a niwl. Daeth wyneb llawn cyffro o'r mwrllwch ac yna fe redodd perchennog yr wyneb aton ni gan chwifio tiwb gwydr.

13

Roedd Sherlock yn gwenu ac yn fy astudio i'n fanwl fel petawn i'n arbrawf gwyddonol arall.

Fe fues ti ar daith hir ar awyren ddoe, do? Mmm-hmm. Digon o amser i sgwennu a thynnu lluniau yn dy ddyddiadur. Fe gest ti dipyn o drafferth dod o hyd i ni hefyd, dwi'n gweld – y gwaith ar y lôn, mae'n siŵr. Does ryfedd dy fod ti'n hwyr heddiw!

Ymennydd gwych? ↓

Darllen meddyliau?

Dillad rhyfedd ↗

←?

Felly dyma Sherlock, meddyliais ... ffrind da Martha a rhyw fath o ddarllenwr meddyliau gydag ymennydd aruthrol! Roedd rhywbeth od ar droed fan hyn ... Ceisiais ymddangos yn ddi-hid.

"Ym ... ie. Oda gen i dy gwrdd di, Sherlock. Ai ... gwaed ... ydi hwnna?"

Pwyntiais at y tiwb gwydr yn ei ddwrn. Roedd rhyw hylif coch tywyll amheus yr olwg ynddo. Goleuodd wyneb Sherlock a dechreuodd chwerthin yn afreolus.

14

Ha ha ha ha! Gwaed! Mafon sydd
ynddo, gan mwyaf, John. Hynny ac
ambell gynhwysyn arbennig arall.
Dwi 'di bod yn gweithio ar y
sail berffaith i ddiod iâ. Diolch i
gymorth cemegau Mr Brwmstan fe
gewch chi drafferth canfod smŵddi
gwell yr ochr yma i afon Tafwys!
Oes rhywun eisiau ei flasu?

Dechreuodd Martha chwerthin
hefyd. Dyna esbonio pam roedd yr
ystafell yn llawn niwl, felly! Tybed
ai dyma'r hyn roedd Martha'n
ei olygu pan ddywedodd hi mai
hyn fyddai'r uchafbwynt?

"Na, dim diolch," meddwn i'n
nerfus. "Dwi 'di cael brecwast yn
barod."

O, wel, dim ots.

Gwenodd Sherlock, rhoi'r
tiwb gwydr i'r naill ochr a
sychu ei ddwylo.

Mae'n well gen ti siocled poeth,
dwi'n gweld. A *croissants*. Rwyt
ti wedi sglaffio dwy'n barod y
bore 'ma! Rhai almwn a siocled.

15

Ac os mentra i ddyfalu, rwyt ti'n arbennig o hoff o fisgedi.

Rhai hufen cwstard, i fod yn fanwl gywir.

HA HA!

Hei, dyw hynny ddim yn deg!

Mae pawb yn hoffi bisgedi!

Ha! Ydyn, wrth gwrs, John!

Dewch! Mae'r holl sôn 'ma am fisgedi yn fy ngwneud i'n llwglyd.

Wrth i'r tri ohonon ni adael yr ystafell ddosbarth, trodd Martha ata i â gwên ddireidus ar ei hwyneb.

"Bisgedi, felly? Mi fydd Baskerville wrth ei fodd gyda ti. Ha ha!"

16

Beth alla i ddweud am hynny?
Ro'n i'n

GEGRWTH.

Doedd gen i ddim syniad
beth oedd newydd ddigwydd,
ond roedd o'n rhyfeddol. Sut
yn y byd roedd o'n gwybod y pethau 'na?
Yr oll wnaeth Martha oedd codi ei
hysgwyddau a dweud

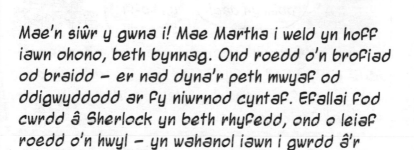

Paid â phoeni, John.
Fel'na mae o o hyd.
Mi ddoi di i arfer ag o.

Mae'n siŵr y gwna i! Mae Martha i weld yn hoff
iawn ohono, beth bynnag. Ond roedd o'n brofiad
od braidd — er nad dyna'r peth mwyaf od
ddigwyddodd ar fy niwrnod cyntaf. Efallai fod
cwrdd â Sherlock yn beth rhyfedd, ond o leiaf
roedd o'n hwyl — yn wahanol iawn i gwrdd â'r

BOI YMA

yn y cyntedd ...

17

JAMES MORIARTY

CRECHWEN HYLL ✓
AELIAU MILAIN ✓
AGWEDD AFIACH ✓

WEL, WEL. SBIWCH PWY SY FA'MA. SGEN TI ANIFAIL ANWES NEWYDD, SHERLOCK?

O, DYNA GI DA! TY'D YMA, BOI!

Ie, wn i, ro'n innau'n meddwl mai gyda Baskerville roedd o'n siarad hefyd! Ond na. Doedd hwn ddim i'w weld yn fachgen rhy glên, a dweud y gwir. Na'i ddau ffrind chwaith.

Cau hi, wnei di, James? Anwybydda fo, John. Mae o'n meddwl ei fod o mor glyfar.

DWI'N GLYFRACH NA CHDI, MARTHA, OND DYDI HYNNY DDIM YN ANODD.

WELA I CHI, BLANTOS. SHERLOCK.

"Pwy yn y byd oedd hwnna?" gofynnais.

"James Moriarty," atebodd Sherlock wrth i James a'i ddilynwyr frasgamu oddi wrthon ni. "Paid â phoeni amdano. Ond dwi'n meddwl ei fod o reit hoff ohonat ti, Martha."

Rhoddodd Martha bwniad i Sherlock. "Ych a fi, dim diolch! Mae'n biti mawr na fasa fo'n mynd 'nôl i'r ysgol gynradd grand yna yn America neu o le bynnag y daeth o."

"Nid dyna un o'ch ffrindiau gorau chi felly, dwi'n cymryd," meddwn i.

"Elfennol, Martha," meddai Sherlock.

Roedd yr olwg ddryslyd ar wyneb Martha yn teimlo'n gyfarwydd.

Be ti'n feddwl, "elfennol"?

"Ysgolion elfennol" maen nhw'n eu galw nhw yn America.

A beth bynnag, mewn ysgol ryngwladol yn y Swistir roedd o. Ger cartre'i deulu yn ymyl rhaeadrau Reichenbach. Fe ddylet ti dalu mwy o sylw.

Reit 'ta, amser cinio?

Oes rhaid iti wybod popeth?!

19

Doedd cychwyn mewn ysgol newydd ddim mor ddrwg â hynny, wedi'r cwbl, hyd yn oed os oedd cwrdd â'r pennaeth yn brofiad brawychus braidd – ac er nad oedd **pawb** yn gyfeillgar ...

Fe hedfanodd gweddill y dydd, ac roedd 'na lwyth o enwau ac wynebau newydd i'w cofio.

Ond aeth pethau'n weddol, dwi'n meddwl. Dwi'n edrych ymlaen at y gwersi celf. A'r rhai Saesneg.

 Mae fy athrawes ddosbarth, **Ms DeRossi**, yn glên iawn. Mae hi'n dod o'r Eidal ac mae hi'n newydd eleni hefyd, felly rydyn ni'n dau yn yr un twll o leia.

Mae hi'n dysgu hanes, ac yn ôl **Martha** a **Sherlock** byddwn ni'n mynd ar drip ysgol i **AMGUEDDFA** ar gyfer ein prosiect ar hanes Oes Fictoria yn fuan. Mi ofynna i wrthyn nhw am hynny nes 'mlaen ... **O IE!**

Bron i mi anghofio. Mae **Martha** wedi 'ngwadd i draw i'w thŷ hi ar ôl ysgol gyda **Sherlock**, felly fe ddylai hynny fod yn hwyl!

Bosib iawn bod **Barti**'n iawn: dwi'n meddwl y bydda i'n hapus yma.

Mae tŷ Martha yn **ANHYGOEL**. Mae hi a'i mam, Mrs Hudson, yn byw ger yr ysgol yn 221B Stryd y Popty.

Mae'n un o'r hen dai dinesig yna gyda rheiliau tu allan, ac mae 'na bedwar llawr! Dydw i erioed wedi bod mewn tŷ tebyg o'r blaen.

Pan ddywedodd Martha wrth ei mam ein bod ni'n gwneud prosiect hanes ar Oes Fictoria, fe ddywedodd hi y dylen ni edrych yn yr hen ystafelloedd ar y llawr uchaf. Syniad arbennig! Maen nhw'n edrych fel petai neb wedi'u haddurno nhw ers tua chan mlynedd!

Mae gan bob ystafell ei lle tân ei hun o hyd, a hen loriau pren gwichlyd. Ond mae'r ystafelloedd yn eithaf bychan, yn enwedig gan eu bod yn llawn bocsys o betheuach. Yn ôl y sôn roedd gan y bobl oedd yn byw yn y tŷ yma weision a morynion hyd yn oed. Allwch chi gredu hynny? Roedd bywyd yn arfer bod yn dra gwahanol!

"Alla i ddim credu gymaint o bethau sydd yma," meddwn i wrth edrych o'm cwmpas. Roedd hi'n union fel bod mewn amgueddfa fach lychlyd. "Mae'n anhygoel."

"Ydi," cytunodd Martha. "Doedd gen i ddim clem beth oedd yma. Mae Mam yn dweud bod lojers yn byw yma ers Oes Fictoria, felly gobeithio y bydd yna bethau addas i'n prosiect ni."

"Byddai hynny'n wych!" meddwn i.

Fe ddaethon ni o hyd i bob math o bethau difyr; rhai pethau defnyddiol; rhai pethau od; a rhai pethau afiach. Fel potiau pi-pi – ych a fi! (Dychmygwch orfod mynd i'r toiled mewn powlen ac yna'i rhoi 'nôl dan eich gwely am weddill y noson. Dim diolch!) Fe fuon ni'n tyrchu am oes – roedd o'n andros o hwyl.

DITECTIF O OES FICTORIA
A PHROBLEM I'W DATRYS

"Edrychwch," meddwn i. "Het arall! Un wirion yr olwg braidd. Alla i ddim dweud pa un yw'r tu blaen."

Het hela ceirw yw honna. Ac mae'n broblem fach ddifyr i ti. Beth alli di ei ddweud wrtha i am yr het?

Syllais ar yr het i weld a fyddai unrhyw beth yn fy nharo. "Wn i ddim ... Roedd gan bwy bynnag oedd yn ei gwisgo hi ben anferth, dyna'r peth cynta y galla i ei ddweud. Pen mawr a chlustiau oer. Ha ha!"

Ty'd yn dy flaen, John, dwi o ddifri.

Bachodd Sherlock yr het oddi arna i a dechrau ei harchwilio.

Gad i mi weld. Hmm ... Bydden i'n dweud ei fod yn ddyn heb ei ail. Dyn a chanddo feddwl chwim a chymeriad cryf. Deallus iawn hefyd, dwi'n siŵr. Dyn craff a allai ddal ei dir â phawb – ac ar ben hynny oll, roedd hefyd yn bencampwr ar ddatrys problemau. Heb sôn am fod yn ddyn egnïol, pan oedd angen. Oedd, roedd yn amlwg yn dditectif penigamp. A'i enw oedd ... Sherinford.

Waw! Sherlock, fe ddysgaist ti'r holl bethau yna wrth edrych ar yr het? Mae hynny'n rhyfeddol!

Ddim mewn gwirionedd, John. Mae'n amlwg. Fe welaist ti'r cyfan dy hun, ond doeddet ti ddim yn edrych yn iawn.

O MAM BACH.

Rwyt ti'n gymaint o ben bach!

Ha ha! Paid â phoeni, Martha, dim ond cael tipyn o hwyl ydw i! Mae'r label y tu mewn i'r het yn dweud "Sherinford". Mae maint yr het yn awgrymu dyn a chanddo ymennydd mawr. Mae'r staeniau ar hyd yr ymyl yn dangos ei fod yn smygu, ac mae'r ffaith ei bod wedi treulio rywfaint ar un ochr yn awgrymu bod ganddo ffidil ar ei ysgwydd. Ac mae'r defnydd yr un fath â'r clogyn, sy'n dangos y bydden nhw wedi cael eu gwisgo gyda'i gilydd.

"Sut gwyddet ti ei fod yn dditectif?" gofynnais.

Trodd Sherlock ei sylw at y pentwr yr oedd newydd fod yn chwilio drwyddo. "Ro'n i'n darllen drwy'r hen ddyddiaduron a'r darnau o bapur yma tra oeddech chi'n chwilota draw fan'cw. Mae yna straeon wedi'u sgwennu am ei achosion, a darluniau hefyd. Stwff reit drawiadol o'r hyn wela i."

27

"Sôn am bennau bach, beth yw'r helynt gyda James Moriarty?" gofynnais wrth Sherlock. Waeth imi ofyn rŵan ddim.

"Mae popeth yn helynt gyda Moriarty, John! Mae o'n union fel mae o'n ymddangos: yn boen, yn hunanol ac wastad yno ar yr adegau mwya anghyfleus. Fel arogl cas, yn gwrthod gadael ac yn mynd i fyny dy drwyn di. Wyt ti'n deall be dwi'n feddwl?"

"Ymm ... Ydw, am wn i," meddwn, gan edrych draw at Martha, oedd yn rholio'i llygaid. "Ro'n i'n meddwl ei fod o'n haerllug. Ac roedd o'n bendant o'r farn ei fod o'n glyfar."

"Mae o'n glyfar, John," meddai Sherlock, gan swnio braidd yn aneglur wrth iddo chwilota dan gynfas lwch arall. "Ac mae o'n sicr yn haerllug. Os oes helynt yn unrhyw le, fydd James ddim yn bell i ffwrdd. Mi allet ti ddweud mai fo yw fy arch-elyn i. Cysgod yn y tywyllwch, yr adlewyrchiad sy'n cuddio mewn drych, y geiriau dryslyd na alli di byth ..."

O'r gorau. Ro'n i wedi rhoi'r gorau i wrando erbyn hyn, rhaid cyfadde. Fe ddaliais i ati i wenu a gadael i Sherlock fwydro. Mae Martha'n dweud ei fod o'n gwneud hyn byth a hefyd, yn enwedig wrth sôn am Moriarty.

Fe fuon ni'n chwilota ar y llawr uchaf am sbel wedi hynny, ac yna mi gawson ni de bach gan Mrs Hudson. Roedd o'n gymaint o hwyl. Dyna'r diwrnod gorau i mi ei gael ers hydoedd.

HYSBYSFWRDD

Clybiau ar ôl Ysgol

Mae Tîm Newyddion Ysgol Stryd y Popty
eich angen **CHI!**

Wyt ti'n hoffi ysgrifennu? Oes gen ti feddwl
praff? Wyt ti'n gwybod sut i ddal camera? Os
felly, beth am fod yn rhan o dîm newyddion
Ysgol Stryd y Popty? Cyfarfod cyntaf amser
cinio dydd Mawrth yn yr ystafell gerdd.

Ymweliad Dosbarth 2
â'r Amgueddfa Henebion

Rhaid i'r holl fyfyrwyr sydd eisiau mynd ar
y trip hanes Oes Fictoria i'r Amgueddfa
Henebion ddychwelyd eu slipiau caniatâd
wedi'u llofnodi erbyn diwedd y mis. Peidiwch
ag anghofio eu rhoi i Ms DeRossi cyn gynted
â phosib!

Mathemateg! Ieithoedd! Gwyddoniaeth!

Cofrestrwch yn awr am wersi ychwanegol yn
eich dewis bwnc.

BASKERVILLE!

SUT MAE DATRYS PROBLEM FEL
SHERLOCK?

Dwi'n dechrau teimlo'n gartrefol yn Ysgol
Stryd y Popty erbyn hyn. Dwi yma ers ychydig
wythnosau ac yn dod i nabod pawb yn well. Mae
Martha'n grêt ac mae hi a Sherlock yn treulio
llawer o amser gyda'i gilydd, felly dwi'n dod i'w
nabod yntau hefyd. Wn i ddim sut yn union i'w
ddisgrifio fo, achos dydw i erioed wedi cwrdd
â neb tebyg! Mae o'n bendant braidd yn od (ac
nid dim ond fi sy'n dweud hynny). Er enghraifft,
mae o'n gwybod llwyth o bethau am:

- Wyddoniaeth a chemeg – mae'n gwybod mwy
  na Mr Brwmstan, ac yn cael cynnal ei
  arbrofion ei hun ganddo.

- Anatomi – mae fel petai o'n gwybod
  popeth am y corff, tu allan a thu mewn!

- Daeareg – mae o'n gwybod popeth am

briddoedd a mathau o greigiau a ble mae planhigion arbennig yn tyfu.

- Daearyddiaeth – mae Martha'n meddwl ei fod o'n gallu canfod ei ffordd o amgylch y ddinas i gyd heb feddwl ddwywaith!

Ond tydi o'n gwybod dim oll am:

- Blanedau a'r gofod, hyd yn oed y pethau syml fel y ddaear yn cylchdroi o amgylch yr haul, neu'r ffaith y gallen ni gyrraedd y blaned Mawrth rhyw ddydd.
- Diwylliant poblogaidd – does ganddo ddim clem am y ffilmiau na'r llyfrau diweddaraf.

Gofynnais iddo am hyn un diwrnod a'i ateb oedd, "Ti'n gweld, John, mae fy ymennydd i fel atig Martha: mae'r lle'n brin yno, felly rhaid imi ei lenwi â'r pethau gorau un!"

Mae o'n giamstar ar ddatrys problemau hefyd. Llwyddodd i orffen y prawf mathemateg anoddaf i mi ei wneud erioed mewn llai na phum munud. (Roedd Moriarty yn amlwg yn gandryll – mae o'n dda iawn hefyd.) Mi ddyfalodd y cyfuniad o rifau ar glo locer Dafs heb edrych hyd yn oed. A beth am yr adeg honno pan oedd ffôn un o Fois y Becws ar goll, ac yntau'n datrys y dirgelwch? Mi ddywedodd mai'r oll wnaeth o oedd sylwi pa mor hir gymerodd hi i'r bananas yn y ffreutur ddechrau troi'n frown … ! Fe wnes i gofnodi'r cyfan yn fy nyddiadur a'i alw'n "Achos y Fanana Frith".

Dwi'n siŵr y gallwch ddyfalu bod Sherlock, weithiau, yn dweud pethau sy'n swnio'n od braidd, er nad yw hynny'n syndod, o bosib, ac ystyried y pethau y mae'n hoffi eu darllen …

Weithiau, os nad oes yna unrhyw broblem i'w datrys, bydd yn flin iawn ac yn dweud pethau fel:

"Iesgob, John, mae hyn yn ddiflas, **DDIFLAS!** Does gen i ddim amynedd pan nad oes yna ddim byd i danio f'ymennydd i ... Data. Dwi angen data! Alli di ddim pobi teisen heb dorri ambell wy ..."

Ac weithiau, pan fydd ym mherfeddion rhyw broblem neu'i gilydd, bydd yn llawn cyffro a'r geiriau'n arllwys o'i geg mor gyflym fel ei bod hi'n amhosib gwneud synnwyr o'r rwdlan o:

"Does gen i mo'r help, mae arna i ofn, John. Mae gen i ddiddordeb mewn pethau! Pethau nad ydi pobl eraill yn chwilio amdanyn nhw: pethau bach, pethau mawr, pethau amherthnasol. Dibwys. Pwysig! Y manylion sy'n bwysig. Pan fyddi di'n dechrau edrych ar rywbeth, gall hyd yn oed y peth lleia, rhyfedda a gwiriona oll dy arwain di at y gwirionedd. John? John! Watson! Rho dy iPad imi!"

O ie, fy iPad ... Fe ges i o'n anrheg gan Mam
a Dad er mwyn gallu sgwennu fy straeon
arno a chadw fy lluniau i gyd gyda'i gilydd.
Ches i mohono'n ôl gan Sherlock am ddiwrnod
cyfan. Mae o wastad yn gwneud pethau fel'na.
Ac mae'n boen weithiau! Ond dyna pam mae
Sherlock Holmes yn Sherlock Holmes am wn i, a
dyna pam mae Ysgol Stryd y Popty yn lle mor
gyffrous.

https://www.blogwyrstrydypopty.blogle.com/2016/10/stryd-y-popty

Blog Ysgol Stryd y Popty
Dydd Llun y 3ydd

Newyddion gwych! Mae tîm newyddion yr ysgol wrth eu bodd â fy syniad ar gyfer Blog Ysgol Stryd y Popty. Dwi'n mynd i geisio sgwennu straeon doniol a stribedi comic ar ei gyfer – mae yna gymaint o bethau'n digwydd yma, felly mae gen i lwyth o syniadau ...

 0 Sylw

Ymweld â'r Amgueddfa
Dydd Mawrth y 4ydd

Reit 'ta, ddarllenwyr Blog Stryd y Popty! Dyma ein cyhoeddiad cyntaf! Fel y gwyddoch, thema hanes ein dosbarth eleni yw Oes Fictoria, ac i roi cychwyn iawn ar bethau byddwn yn mynd ar drip i'r Amgueddfa Henebion. Bydd angen ichi gofio dod â'ch taflenni gwaith, eich llyfr nodiadau, cas pensiliau a digon o frwdfrydedd ar gyfer yr antur hon i Oes Fictoria! Dwi'n edrych ymlaen yn barod!

 1 Sylw

Sylwadau:

 Ms DeRossi: Diolch, John! Mae Mr Adwy a finnau'n edrych ymlaen yn arw at y trip hefyd. Byddwn yn treulio'r bore yn ymchwilio i'r cyfnod ac yn edrych ar arddangosfeydd yr amgueddfa, felly fe ddylech gael syniadau da ar gyfer eich prosiectau dosbarth. Ac os oes digon o amser, efallai y bydd yna syrpréis arbennig i'w gweld yn y prynhawn!

3 awr yn ôl

41

4 ANTUR YN YR AMGUEDDFA

Reit, bawb,
dewch at eich gilydd.
Mr Adwy, allwch chi
gyfri'r plant, plis?

Wrth gwrs,
Ms DeRossi.
Dyna ni – pawb yma!
Reit 'te, i fyny'r
grisiau â ni.

Mae hyn
moooooor
cŵl!

43

Oes rhaid i ni edrych ar holl stwff Oes Fictoria?

DIFLAS!

O'r gorau, bawb, tawelwch! Rydyn ni am geisio gweld cymaint â phosib. Mae'r diwrnod ar ei hyd gennym ac mi fydd yn wych.

O! MI SCUSI — YM! ESGUSODWCH FI, MADAM. DDRWG IAWN GEN I.

BWMP!

Difyr, tydi, Watson?

Sherlock! Ble fuest ti?
Ro'n i'n meddwl dy fod
ti wedi diflannu.

Wedi bod yn gwylio pobl
ydw i, John. Peth hynod o ddifyr.
Ac agoriad llygad weithiau
hefyd ...

Wel, wn i ddim beth yn union oedd mor ddifyr
i Sherlock, ond – waw! Mae'r amgueddfa'n
anhygoel. Ac yn anferth! Mae yna bethau
o bedwar ban byd – yr hen Rufain, China,
y Dwyrain Canol a'r hen Roeg hefyd. Mae
yna Fwdhas aur a thrysorau a thlysau ac
ystafelloedd yn llawn paentiadau ac – o mam
bach, paentiadau ANFERTH. Mae yna hyd yn oed
ddarnau o hen adeiladau ... Mae'n rhyfeddol!
Ac fe welson ni hyn oll cyn dechrau edrych am
bethau ar gyfer ein prosiect ysgol. Fe allwn i
ddod yma bob wythnos a fyddwn i'n dal ddim
wedi gweld popeth.

Ond allwch chi byth blesio pawb ...

"O nefoedd yr adar. Mae hyn MOR ddiflas," cwynodd Martha ar ôl tua pum munud. "Pwy sydd eisiau edrych ar lwyth o hen debotiau drwy'r dydd? Neu luniau o hen wragedd crand, dynion crandiach fyth a chŵn ffansi ... O, arhoswch funud ... Dwi'n hoffi hwn!"

TRUGAREDDAU A GWEPLUNIAU

Wedi hir a hwyr fe gyrhaeddon ni arddangosfa Oes Fictoria. Roedd gan y Fictoriaid ambell beth trawiadol, rhaid dweud, hyd yn oed os oedden nhw braidd yn od. Roedd ganddyn nhw declyn ar gyfer popeth dan haul: cribau a brwsys a drychau, a phob math o glipiau, botymau, broetsys a gwregysau rhyfedd ar gyfer eich dillad.

Roedd yna lwyth o bethau difyr ar gyfer ein prosiectau ysgol – llawer o wybodaeth am yr Ymerodraeth Brydeinig, oedd yn ymestyn i bellafion byd, a digonedd o ddyfeisiau ac adeiladau o Oes Fictoria. Fe gawson ni wisgo rhai o'u dillad, hyd yn oed.

Hei, mae'r rhain yn debyg i'r pethau welson ni yn dy dŷ di, Martha!

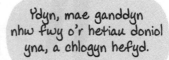

Ydyn, mae ganddyn nhw fwy o'r hetiau doniol yna, a chlogyn hefyd.

Wps! Mae hwn braidd yn fawr ...

Hyfryd, John. Rwyt ti'n edrych yn hynod o Fictoraidd. Mwstásh fydd nesa! Ha ha!

Hei, edrychwch ar yr hen gamerâu smart 'ma!

Roedd Martha wedi canfod arddangosfa o gamerâu hen-ffasiwn mewn cas gwydr. Dyna ichi rywbeth arall a ddyfeisiwyd yn Oes Fictoria. "Roedden nhw'n tynnu lot o luniau, on'd oedden nhw?" meddai wrth iddi estyn ei ffôn a pharatoi i dynnu llun.

"Oedden. Ond dim hunluniau, Martha!" meddai Sherlock o'r ochr draw i'r ystafell. Roedd o'n syllu ar gas gwydr anferth yn llawn lluniau o bobl frawychus a pheryglus yr olwg. "Dewch i weld rhain."

Doniol iawn, Sherlock. Pwy 'di'r rhain 'te?

Troseddwyr. Drwgweithredwyr mwya ffiaidd Llundain yn Oes Fictoria. Ac yn beryg bywyd bob un.

Maen nhw'n edrych yn erchyll! Beth sy'n bod ar eu hwynebau nhw?

Wel, dyna i chi un peth arall od am Oes Fictoria. Memento mori yw pob un o'r lluniau yma.

Me-mint-o beth?

Memento mori. Roedden nhw wedi marw.

Beth?! Ych a fi!

Dwi'n meddwl ein bod ni i gyd yn eithaf balch o adael Oes Fictoria ar ôl hynny!

HELFA DRYSOR
- - - - - - - - - - - - - - - X

Fe hedfanodd y bore ac mewn dim o dro roedd hi'n amser ar gyfer ein syrpréis – sôn am gadw'r arddangosfa orau tan y diwedd! Dosbarthodd Ms DeRossi a Mr Adwy fapiau ar gyfer yr arddangosfa 25 Trysor. Ac o, roedd hi'n wych! Roedd hi fel helfa drysor anferth o'r holl bethau mwyaf anarferol ac arbennig yn yr amgueddfa. Fe aethon ni gyd ati i weld pwy allai eu darganfod nhw gyntaf. Ro'n i gyda Sherlock a Martha, roedd Dafydd gyda Math a Harri, Barti gydag Em a Nisha ac ambell un arall gyda Mr Adwy. Roedd James Moriarty gyda'i ddau bartner, Seb a Carlo. Ac yn ôl eu harfer, chymerodd hi ddim yn hir iddyn nhw ddechrau difetha'r hwyl ...

HEI, 'DRYCHWCH, DYNA BASKERVILLE.

WPS! SORI, WATSON, WNES I DDIM DY NABOD DI HEB DY <u>DENNYN</u>!

Ha ha ha

Ond do'n i ddim yn mynd i adael i hynny fy
mhoeni i – roedd yna gymaint i'w weld.

Roedd yna ystafell anhygoel yn llawn cerfluniau marmor anferthol, a phorth aur i wlad hudolus.

Llyfr nodiadau rhyfeddol oedd yn eiddo i Leonardo da Vinci, a chopi o gyfrol wreiddiol o ddramâu Shakespeare.

Gwely pedwar postyn aruthrol o fawr, a charped hedfan anferth, a theigr oedd yn bwyta dynion! Heb sôn am y diemwnt enwocaf yn hanes y byd,

SEREN YR ALPAU

ROEDD Seren yr Alpau yn anhygoel – ac allai
Martha ddim peidio â sôn amdani. Allwn innau
ddim credu pa mor ddisglair oedd hi chwaith.
Ond roedd Sherlock yn mynnu crwydro – fel
petai ganddo ddim diddordeb yn yr holl bethau
gwych oedd i'w gweld yn yr arddangosfa.
Roedd ganddo fwy o ddiddordeb yn staff
yr amgueddfa, ac roedd o'n mynnu syllu ar y
gwahanol aelodau o staff oedd yn cerdded
heibio, a golwg fyfyriol arno.

Yn rhy fuan, roedd hi'n bryd
inni adael, er nad oedden
ni wedi gorffen yr
helfa drysor. Ond fe
lwyddais i wneud hanner
darlun o gerflun gwych o'r
Ymerawdwr Napoleon yn
gwisgo het! Dim ots – mae'n
rheswm da i ddod yn ôl yma!

Ond wrth inni baratoi i
adael, aeth popeth yn od braidd.
Od, meddwn i – a dwi'n golygu
OD hefyd – hollol wallgo a hurt
bost o od ...

GWYDDOR TYNNU SYLW

Y peth cyntaf y sylwais i arno oedd cerddoriaeth yn cael ei chwarae yn yr oriel islaw inni ...

Hei, beth sy'n digwydd? O ble mae'r gerddoriaeth yna'n dod?

Roedd y sŵn mor uchel, ac yn taranu o nunlle rywsut. Roedd ffrindiau Martha wrth eu boddau achos hon oedd eu hoff gân.

FFYNCIA YMA NAWR!

O, waw! Dwi'n caru'r gân 'ma.

Finnau hefyd!

ARBENNIG!

Roedd hyn yn wallgo! Ar amrantiad fe lifodd torf enfawr o bobl oedd yn edrych fel staff yr amgueddfa i mewn i'r ystafell ...

Aros funud, beth mae'r holl bobl yna'n ei wneud?

Ai staff yr amgueddfa ydyn nhw?

Dwi'n meddwl mai wedi gwisgo fel staff maen nhw. Mae hyn mor od!

Edrycha, maen nhw'n dawnsio!

WE-HEI!

Hei, Ms DeRossi, edrychwch! Fflach-dorf yw hi!

Ro'n i wedi gweld fideos o'r math yma o beth o'r blaen, ond mae'n hollol wahanol pan mae'n digwydd o dy gwmpas di. Ar y cychwyn roedden ni i gyd wrth ein boddau. Fe ddechreuodd Dafs ac ambell un o'r merched ymuno yn yr hwyl hyd yn oed. Roedd o'n grêt!

Ond yna ...

Dechreuodd y larymau seinio – ac ro'n i'n gwybod nad oedd hynny'n beth da, yn enwedig pan glywais i sŵn gweiddi a phethau'n chwalu yn y cefndir.

Beth sy'n digwydd?!

Ysbiwyr cudd ar gyrch?

NINJAS!

Na, ysbiwyr, yn bendant ...

Roedd yna bobl yn rhedeg i bob cyfeiriad, yn ceisio dianc.

"O'r gorau, bawb, arhoswch gyda'ch gilydd. Dewch yn sydyn, rhaid inni adael yr adeilad. Dilynwch fi, bawb," bloeddiodd Martha.

"Ble mae Sherlock? A ble mae Ms DeRossi?" gwaeddais innau.

"Drychwch, dyna Mr Adwy a'r lleill – awn ni atyn nhw," meddai Martha.

"Arhoswch funud – ai'r heddlu yw'r rheina?"

"Ie ... Hei, dacw Dad!" gwaeddodd Harri.

"Waw! Mae hyn yn WYCH! A finnau'n poeni y byddai trip i'r amgueddfa yn ddiflas ..."

FFLACH-DDWYN!

Gwelwyd y golygfeydd mwyaf rhyfeddol yn yr Amgueddfa Henebion, gorllewin Llundain yn gynharach heddiw pan fu YMGAIS I LADRATA GAN FFLACH-DORF! Roedd cannoedd o ymwelwyr, gan gynnwys plant ar drip ysgol, yn syfrdan pan welsant dyrfa o bobl wedi'u gwisgo fel staff yr amgueddfa yn tynnu digon o sylw i alluogi lleidr cyfrwys i chwalu cas gwydr a dwyn tlws AMHRISIADWY Seren yr Alpau – tlws ac iddo hanes hir a chythryblus. Roedd y tlws yn rhan o'r arddangosfa 25 Trysor. Mae'r casgliad wedi bod ar daith o amgylch Ewrop dros y blynyddoedd diwethaf, a dim ond yn ddiweddar y cafodd ei ddychwelyd i'w gartref yn yr Amgueddfa Henebion ...

Mwy ar dudalen 4

63

Helynt yr Hen Gar Glas!

▶ Lleidr yr amgueddfa yn gwneud ymgais
hurt i ddianc – ac yn methu

gan Macsen Walltog

Wedi digwyddiadau hynod yn yr Amgueddfa Henebion, gadawyd y lleidr yn goch gan gywilydd wedi iddo fethu yn ei ymdrech i ddwyn tlws enwog liw dydd. Wedi iddo gipio Seren yr Alpau tra oedd fflach-dorf yn perfformio, aeth pethau'n flêr i'r troseddwr pan geisiodd ddianc.

Y ditectif dewr: Amlyn Baker

i'w ddal o fewn ychydig funudau, er mawr ryddhad i'r cyhoedd oedd yn gwylio.

Roedd y dyn sydd dan amheuaeth o geisio dwyn wedi bod yn gweithio fel aelod o staff yr Amgueddfa Henebion ers tair wythnos. Cafwyd datganiad byr gan ei gyfreithiwr:

Y lleidr llwfr: Pietro Vencini

Gadawodd y lleidr – Eidalwr 43 mlwydd oed o'r enw Pietro Vencini – mewn Fiat 500 glas hynafol, ond torrodd y car i lawr ymhen ychydig gannoedd o fetrau, yng nghanol traffig y ddinas. Llwyddodd yr heddlu, dan arweiniad y Ditectif Arolygydd Amlyn Baker o Heddlu Llundain,

❝ Mae fy nghleient wedi dioddef anghyfiawnder ofnadwy. Byddwn yn cydweithio'n llwyr â'r heddlu wrth inni geisio clirio'i enw. Mae Pietro'n ddyn teulu hynod o garedig ac mae'n gweld eisiau ei fab, Napoleon, yn fawr. Mae popeth a wyddom yn pwyntio at y ffaith ei fod yn un o bileri'r gymuned. Mae'n gobeithio gallu dychwelyd i'w waith yn yr amgueddfa yn fuan. ❞

Y Celfyddydau Ar-lein

Newyddion > Amgueddfeydd > Llundain

SEREN YR ALPAU

Mae'r Amgueddfa Henebion wedi bod yn llygad y cyhoedd sawl gwaith yn ystod y 150 o flynyddoedd ers ei sefydlu, ond prin y gall unrhyw ddigwyddiad yn ystod y ganrif hon gystadlu â'r cyffro a'r dirgelwch a gafwyd yn sgil dychweliad arddangosfa'r 25 Trysor i'w chartref ysbrydol ... yn enwedig felly dlws rhyfeddol Seren yr Alpau, sydd wedi cyrraedd y penawdau eto'r wythnos hon yn sgil ymgais feiddgar i'w ddwyn.

Darganfuwyd Seren yr Alpau yn y bedwaredd ganrif ar bymtheg, ac ers hynny bu dadlau brwd ynghylch ei gwreiddiau. Fe'i cymerwyd o fwynglawdd yn yr India yn ystod taith yno, a dywedir bod melltith arni.

Adeg ysgrifennu'r adroddiad hwn, mae Seren yr Alpau yn ôl yn ddiogel yng nghasgliad yr amgueddfa, a bydd yn cael ei dangos mewn cas arddangos dros dro, hyd y cynhelir adolygiad annibynnol o ddiogelwch a thra bod ymchwiliadau'r heddlu'n parhau.

O MAM BACH. Glywsoch chi beth ddigwyddodd yn yr amgueddfa?

Do siŵr! Mae pawb yn anfon negeseuon amdano!

Roedd dosbarth Ms DeRossi yno pan ddigwyddodd o.

Welais i Sherlock ar y teledu!

Do, a thad Bois y Becws hefyd!

'Rioed?!

O, WAW. Mae Ysgol Stryd y Popty am fod yn enwog!

Mae James Moriarty yn gwybod pwy wnaeth, medden nhw ...

Mae Dad yn dweud bod yr heddlu'n gwybod yn barod. Maen nhw wastad yn gwybod.

66

OND ... OND ... OND, DAD ...

SORI. WNA I'N SIŴR BOD POPETH YN IAWN, DWI'N ADDO.

OND PAM? DWI EISIAU HELPU.

MI ALLA I DDOD O HYD IDDO. DWI'N GWYBOD Y GALLA I!

IAWN. SORI. WNAIFF O DDIM DIGWYDD ETO.

IAWN. HWYL, DAD.

Waw. Roedd pethau'n hurt bost yn yr ysgol wythnos yma. Roedd pawb yn sôn am Seren yr Alpau a'r hyn ddigwyddodd pan oedd ein dosbarth yn yr amgueddfa.

Nid bob dydd y byddwch chi'n gweld tlws yn cael ei ladrata, a hynny'n mynd o'i le, a chithau yn ei chanol hi ...

Yn ôl y sôn, bu'n rhaid i Ms DeRossi a Mr Adwy gael eu cyfweld gan yr heddlu hyd yn oed – a dywedodd rhywun y bydd tad Math a Harri, yr Arolygydd Baker, yn dod i'r ysgol i siarad â'r holl ddosbarth. Hollol wallgo!

"Felly ble est ti pan ddechreuodd yr holl firi?" gofynnais i Sherlock pan gafodd y tri ohonom lonydd am eiliad. "Welais i mohonot ti ar ôl i'r larymau ddechrau seinio."

"Ie, fe ddiflannaist ti eto, yn do?" ychwanegodd Martha, gan rolio'i llygaid.

"Ro'n i yno, John, paid â phoeni. Ond 'mod i'n gwneud fy ymholiadau fy hun. Fel mae'n digwydd, fe ges i neges gan fy mrawd, Mycroft, y diwrnod cynt. Roedd o'n amau y byddai rhywbeth difyr yn digwydd yn yr amgueddfa heblaw am ein trip ysgol ni!"

Dyna ni – Sherlock a'i ddirgelion eto fyth. Wyddwn i ddim bod ganddo frawd hyd yn oed. A Mycroft? Pam yr enwau rhyfedd? Fydden i ddim yn synnu petai o'n rhyw fath o ysbïwr neu rywbeth!

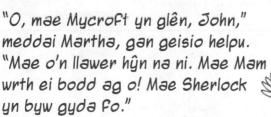

"O, mae Mycroft yn glên, John," meddai Martha, gan geisio helpu. "Mae o'n llawer hŷn na ni. Mae Mam wrth ei bodd ag o! Mae Sherlock yn byw gyda fo."

"Ie, iawn, Martha. Dwi'n siŵr y caiff John gwrdd ag o rywdro. Beth bynnag, fe anfonodd Mycroft neges ata i yn rhybuddio y gallai rhywbeth ddigwydd tra oedden ni yn yr amgueddfa, felly fe benderfynais gadw llygad barcud ar yr hyn oedd yn digwydd. Y peth cynta imi sylwi arno oedd bod llawer o staff amgueddfa ychwanegol i'w gweld, ac ro'n i'n meddwl bod un ohonyn nhw'n arbennig o ddiddorol. Wedi i bopeth droi braidd yn ... gerddorol, fe sylwais fod un o'r allanfeydd tân wedi cael ei gadael ar agor – felly fe sleifiais drwodd i weld beth oedd yn digwydd ..."

Waw, meddyliais. Nid dyna'r math o ddiwrnod ges i yn yr amgueddfa! Dim ond Sherlock fyddai mor chwilfrydig â hynny.

"Ond yna, ychydig eiliadau wedyn, fe sylweddolais nad o'n i ar fy mhen fy hun. Agorodd y drws ben arall y coridor yr o'n i ynddo, ac os nad ydw i'n drysu, y dyn ddaeth drwy'r drws oedd neb llai na lleidr Seren yr Alpau – ac roedd y tlws yn ei ddwylo!"

BETH?! FE WELAIST TI'R LLEIDR?! CYN I'R HEDDLU EI DDAL?!

Anhygoel! Alla i ddim credu pa mor wallgo fu popeth yn yr ychydig ddyddiau diwethaf. Fflach-dorf ryfedd, ymgais i ddwyn tlws drudfawr, negeseuon cudd ... Ac fe welodd Sherlock y lleidr â'i lygaid ei hun!

A'r cyfan er mwyn cael gafael ar ryw hen dlws ffansi o Oes Fictoria!

"Ond am dlws, Martha! Roedd yn ysblennydd! Pe byddet ti'n ei weld â'r golau'n tywynnu arno, fel y gwelais i o yn y coridor ... mae'n hollol ryfeddol. Mae'n mynd â ti i fyd arall ..."

Am ddegawdau lawer, Seren yr Alpau oedd y diemwnt mwya y gwyddai unrhyw un amdano. Yn Oes Fictoria câi ei ystyried yn un o drysorau mwya prin y ddaear. Cafodd ei ddarganfod ym Mwynglawdd Beeton yn 1887, a dyma doriad mwya y Diemwnt Gwyn Mawr Indiaidd. Cyrhaeddodd Ewrop ymhen dim – er bod llawer o bobl yn dweud y byddai'n well pe na byddai wedi cael ei ddarganfod o gwbl, ac ystyried yr anlwc a'r dioddefaint a ddaeth i ran y rhai sydd wedi hawlio perchnogaeth o'r garreg werthfawr dros y blynyddoedd.

"Beth?! Sherlock, sut wyt ti'n gwybod yr holl bethau 'ma?"

"Dwi wedi gwneud fy ngwaith ymchwil – ac fe ddarganfyddais i'r daflen ddefnyddiol yma. Beth am inni ymweld â'r amgueddfa eto er mwyn gweld Seren yr Alpau yn ôl yn ei phriod le? Dwi'n rhyw led amau nad yw pethau'n union fel y maen nhw'n ymddangos ..."

DACW BASKERVILLE!

Arhoswch funud. Pa ddireidi mae Baskerville, y ci hela drygionus ond annwyl, wedi bod yn ei wneud y tro yma?!

Daeth adroddiadau i law bod Baskerville wedi cael ei weld y bore yma yn edrych yn hynod o falch ohono'i hun, ac yn cario'r hyn a ddisgrifiwyd fel HOSAN CHWARAEON DDREWLLYD.

> Hei! Fi sydd â honna!

> Wps! Dyma Dafydd. O diar, Dafs. Wyt ti wedi bod yn colli dy bethau eto?

> Mi fydd Mam o'i cho'. Roedd yr hosan yna'n lân pan ddes i â hi i'r ysgol ... Oes rhywun eisiau cyfnewid sanau?

> Annhebygol, Dafydd! Efallai y daw ein ffrind blewog â hosan arall i ti, os bydd yn llwyddo i ganfod ei ffordd i'r ystafell newid eto!

> O, Baskerville, beth wnawn ni â ti?!

Ymunwch â ni y tro nesaf am bennod arall o hwyl a sbri y ci ...

Felly fe drefnodd Sherlock, Martha a finnau gwrdd yn yr amgueddfa unwaith eto y penwythnos hwnnw. Ro'n i'n llawn cyffro o gael dychwelyd yno, hyd yn oed os oedd Martha'n meddwl y byddai'n rhy debyg i waith ysgol. Odim i fi! Ro'n i'n gwybod bod Sherlock ar drywydd rhyw ddirgelwch, ac ro'n i eisiau gwybod mwy.

Roedd Martha'n hwyr braidd, felly aeth Sherlock a fi yn syth i mewn i'r amgueddfa. A hithau wedi cael cymaint o sylw yn y wasg yn ddiweddar, roedd yr orielau'n llawn dop o bobl, a bu bron imi fynd ar goll yng nghanol y tyrfaoedd wrth geisio dilyn Sherlock, oedd yn gwibio o'r naill le i'r llall. Roedd gen i deimlad ym mêr fy esgyrn bod Sherlock yn bwriadu gwneud mwy na chael diwrnod o hwyl yn yr amgueddfa ...

> Be sy gen ti ar y gweill, Sherlock? Pam ydyn ni'n stelcian fel dau leidr? Ro'n i'n meddwl mai dod i weld Seren yr Alpau oedden ni.

> Mae'n rhaid inni fynd ar drywydd rhywbeth i ddechrau, John. Ac fel ro'n i'n amau, nid ni yw'r unig rai sy'n gwneud ...

O, NA. NID SHERLOCK A'I GI BACH ETO! OES RHAID I CHI FY NILYN I I BOBMAN?

Fe allwn i ofyn yr un peth yn union i ti, James. Beth yw dy esgus di?

FI? DIM OND PARATOI AR GYFER EIN PROSIECT YSGOL, A FINNAU'N DDISGYBL MOR GYDWYBODOL. POB LWC Â ... BETH BYNNAG 'DYCH CHI'N EI WNEUD.

Ac fe ddiflannodd Moriarty i ganol y dorf o ymwelwyr. Tydi o mo'r bachgen cleniaf, nac ydi?! Fyddwn i'n synnu dim petai Sherlock yn gwybod yn iawn y byddai James yn yr amgueddfa heddiw – mae fel petai'n gwybod popeth fel arfer.

Ac yna, ychydig funudau'n ddiweddarach, fe sylwon ni ar Ms DeRossi hefyd, yn brysio drwy'r dorf. Beth oedd hyn, clwb amgueddfa neu rywbeth?! Ond fe fynnodd Sherlock na ddylen ni adael i Ms DeRossi sylwi arnon ni. Wn i ddim pam na allen ni fynd i ddweud helô wrthi.

Yna fe gyrhaeddodd Martha, ac fe ddywedon ni wrthi pwy roedden ni wedi'u gweld.

"Mae un peth yn sicr," gwenodd Martha, "mae hi'n bendant yn hoffi hanes!"

"Wel, athrawes hanes yw hi, wedi'r cwbl," ychwanegais innau.

Yn ffodus, roedd Sherlock wedi penderfynu y gallen ni fynd i weld y tlws enwog o'r diwedd. Fe ymunon ni â thaith y 25 Trysor yn y man lle bu'n rhaid inni ei gadael y dydd o'r blaen a dilyn y trywydd hyd nes inni gyrraedd Seren yr Alpau.

"Iesgob, edrychwch arni," meddai Martha, wedi'i chyfareddu. "Mae hi'n dlysach nag yr o'n i'n cofio hyd yn oed."

Safodd y tri ohonom o flaen y diemwnt. Ro'n i'n gwasgu fy nhrwyn yn erbyn y cas gwydr (gan dorri pob rheol, mae'n siŵr). Dyna lle roedd y tlws, yn disgleirio dan y goleuadau. Roedd yn edrych yn hynod o drawiadol.

"Mae'n anhygoel!" meddwn i.

"Ti'n iawn. Mae'n anhygoel, John," atebodd Sherlock â gwên ddireidus ar ei wyneb.

Alla i ddim credu'r lleidr yna! Am ffŵl!

Am <u>athrylith</u>, ie ddim?

Go brin. Mewn difri calon, pwy fyddai'n ceisio dwyn rhywbeth fel hyn yng ngolau dydd? Does ryfedd na wnaeth o lwyddo.

Mm·hmm. Ond fe <u>wnaeth</u> y lleidr lwyddo.

Yn union. Mor dwp ... Beth?

Wel, fe allwn i fod yn anghywir, am wn i – er bod hynny'n hynod o annhebygol – ond bydden i'n dweud mai diemwnt <u>ffug</u> yw hwn.

"Ie, wrth gwrs," gwawdiodd Martha yn goeglyd. "Rwyt ti'n arbenigwr ar dlysau erbyn hyn, wyt ti?"

"Fe allet ti ddweud hynny. Ond does dim amser i drafod hynny rŵan – mae'r antur ar droed!"

A chyn imi allu mentro gofyn "Am beth wyt ti'n sôn?" a "Beth yw hyn am ddiemwnt ffug?" roedd Sherlock yn cerdded yn dalog allan o'r ystafell.

Rydyn ni'n mynd yn fyw yn awr at ein gohebydd y tu allan i'r Amgueddfa Henebion yn Llundain ...

O ladrad di-glem i gelwydd noeth, mae comedi wedi troi'n ddicter yn amgueddfa enwocaf Llundain yr wythnos hon.

Wedi ymgais letchwith Pietro Vencini i ladrata yr wythnos diwethaf, ymddengys yn awr fod rhaid i geidwaid yr Amgueddfa Henebion rannu rhywfaint o'r cywilydd gan fod y wasg wedi cael gwybod mai diemwnt ffug yw tlws enwog Seren yr Alpau yn eu harddangosfa!

Fe fuon ni'n siarad â rhai o'r ymwelwyr toc wedi i'r darganfyddiad gael ei gyhoeddi.

Yn ôl Daniel Morus, 72, o orllewin Llundain: "Fe ddywedais i, hyd yn oed, nad oedd yn edrych fel diemwnt arbennig iawn, yn do, Babs?"

"Do wir, Dan," meddai Barbara Morus. "Fe ddywedaist ti ei fod yn edrych fel darn o hen blastig."

78

Ac mewn gwirionedd, dyna'r oll ydyw. Darn o hen blastig.

Beth nesaf i'r Amgueddfa Henebion, felly, tybed? Y newyddion fod un o ddramâu Shakespeare wedi'i sgwennu â beiro newydd sbon ffansi ar bapur wedi'i socian mewn te?

Yn ôl atoch chi i'r stiwdio ...

Diolch. Mae'r heddlu wedi gwrthod gwneud unrhyw sylw ar y cam hwn o'u hymchwiliad, ond rydym wedi cael datganiad gan gynrychiolydd ar ran y gŵr sydd yn y ddalfa ar hyn o bryd dan amheuaeth o geisio lladrata:

"Fe'ch cyfeiriaf at ein datganiad cynharach:

Mae fy nghleient, Pietro Vencini, yn ddyn teulu caredig ac yn un o bileri'r gymuned.

Rydym yn cydweithredu'n llawn â'r heddlu ac mae'n gobeithio'n arw y gall ddychwelyd eto i'r amgueddfa. Diolch yn fawr."

CANFOD DIEMWNT FFUG

gan Macsen Walltog

Unwaith eto, mae'r Amgueddfa Henebion yn y penawdau yn sgil y TRO RHYFEDDOL YNG NGHYNFFON Y STORI, wrth i'r wasg gael gwybod mai'r oll ydyw Seren yr Alpau – un o brif atyniadau'r arddangosfa 25 Trysor – yw diemwnt ffug!

Sylwodd arbenigwr ar ddilysu diemwntau fod rhywbeth o'i le yn ystod yr adolygiad diogelwch a gynhaliwyd wedi'r "Fflach-ddwyn" yr wythnos diwethaf. Nid yw'n hysbys eto beth mae hyn yn ei olygu i'r arddangosfa 25 Trysor a chasgliadau helaeth yr amgueddfa, a fu'n uchel iawn eu parch hyd yma ...

Y Celfyddydau Ar-lein

Newyddion > Amgueddfeydd > Llundain

DIRGELWCH Y DIEMWNT

Cafwyd llawer o ddryswch a dyfalu yn sgil cyfaddefiad diweddaraf yr Amgueddfa Henebion mai fersiwn ffug hynod o grefftus yw tlws Seren yr Alpau sydd yno ar hyn o bryd.

Dim ond wedi ymgais letchwith i'w ddwyn yn gynharach yn yr wythnos y darganfuwyd hyn.

Cafwyd datganiad chwim gan gyfarwyddwr yr amgueddfa, Mr Wmffre ap Wmffre.

"Ar ran yr Amgueddfa Henebion, hoffwn ddatgan nad yw'r sefydliad hwn erioed wedi ceisio twyllo'r cyhoedd yn fwriadol drwy arddangos unrhyw wrthrych ffug. Rydym yr un mor syfrdan â phawb arall. Credwn bellach fod y tlws go iawn wedi'i gyfnewid am yr un ffug yn ystod yr ymgais i ladrata."

Felly, os yw Wmffre ap Wmffre yn gywir, a bod y tlws go iawn wedi'i gyfnewid yn ystod y "lladrad", y cwestiwn mawr yw – ble mae Seren yr Alpau?

81

Wel wir! Does dim angen gofyn beth oedd testun pob sgwrs yn ôl yn yr ysgol. Alla i ddim credu'r peth. Ychydig wythnosau'n ôl do'n i'n ddim ond plentyn ysgol arferol, â 'nhrwyn mewn llyfr neu â phensel yn fy llaw, yn sgwennu fy straeon fy hun – ond yna fe gyrhaeddais i Ysgol Stryd y Popty, a bang! Does dim angen imi ddyfeisio straeon bellach – mae'n teimlo fel petai yna un newydd yn blaguro bob dydd ...

Fe geisiais i gael rhywfaint o atebion gan Sherlock.

Felly, yn gynta roedd wedi cael ei ddwyn –

Oedd

– ac yna doedd o ddim wedi cael ei ddwyn –

Nac oedd

– ac yna roedd yn ffug – ond ddim wir yn ffug o gwbl? – ac roeddet ti'n gwybod o'r cychwyn!

Wel, ro'n i'n amau, John, oeddwn.

Ond, Sherlock, mae hynny'n wych.

Wel, fydden i ddim yn dweud hynny, ond ...

Mae'n anhygoel! Mae'n–

"John." Roedd Martha yn edrych arna i, a golwg gyfarwydd ar ei hwyneb. "Dwi'n meddwl bod pen Sherlock yn ddigon mawr yn barod."

Ond mae'r cyfan mor—

John.

Ond mae'r cynllun mor glyfar!

Wir? Ro'n i'n meddwl ei fod braidd yn amlwg, a dweud y gwir.

"Ond beth sy'n digwydd rŵan felly?" meddwn i'n dal i barablu. "Hynny yw, wyt ti'n meddwl bod y tlws go iawn allan yna'n rhywle? Fe allai fod wedi bod ar goll ers blynyddoedd! Wyt ti'n meddwl y gallwn ni ei ddarganfod?"

Ydw, am wn i. Dwi'n amau hynny. Byddwn i'n meddwl. Llwyth o gwestiynau gen ti, Watson. PCL yw hon, yn bendant.

Ie, yn sicr. Ym – beth?

Yn wir, byddwn i'n mynd cyn belled â dweud PCL deirgwaith drosodd.

Beth yw PCL?

Problem cetyn licris, John! Hwda, tria un.

LOSIN CETYN

Hen-ffasiwn
blas
LIGRIS

6 PC

BLASUS IAWN

Ych a fi! Fe wnes i drio un. Roedd o'n **AFIACH.**

Dwi ddim yn meddwl bod unrhyw un wedi gwneud llawer o waith y diwrnod hwnnw. Yn y dosbarth roedd pobl yn dyfeisio pob math o syniadau gwallgo am Seren yr Alpau, ac am ryw reswm roedd James mewn tymer waeth nag arfer trwy'r dydd.

Roedd Ms DeRossi yn edrych yn bell, fel petai ganddi bethau eraill ar ei meddwl. Dwi'n siŵr mai dyna'r unig reswm pam na fu'n rhaid inni gyd aros i mewn amser egwyl.

Dwi'n mynd draw i dŷ Martha yn nes ymlaen, gyda Sherlock, felly mae'n bosib y gallwn holi mwy arno am Seren yr Alpau, a ble gallai hi fod. Mae un peth yn sicr, mae hyn i gyd yn rhoi syniadau gwych am straeon imi ...

Ddarllenydd annwyl – dyma ichi ddirgelwch a fydd yn eich syfrdanu hyd fêr eich esgyrn! Ddarllenydd annwyl, dyma ichi antur! Bydd hon yn cydio ynoch bob cam. Gwnewch yn siŵr nad oes neb yn eich dilyn, a gwyliwch eich camau! A, ddarllenydd annwyl, dyma'r cyffro mwyaf! Ie wir. Y cyffro fydd yn gwneud i'ch calon adlamu ac i'ch meddwl ffrwydro.

Ond beth yw ystyr hyn i gyd? Beth yw dirgelwch heb set o gliwiau? Beth yw antur heb yr anturiaethwr? A beth yw problem heb ei datrys? Yr unig un all ganfod yr ateb yw'r cydymaith mwyaf anhygoel a syfrdanol y gallai dyn ei gael. Neb llai na'n ffrind blewog ar bedair coes. Ie, ddarllenydd annwyl, neb llai na ...

Dyma fe'n dod ...

BASKERVILLE! Y CI GWYRTHIOL!

Dal drwgweithredwyr yn dynn rhwng ei ddannedd. **GRRR!**

Arogli'n awchus am unrhyw beth amheus! **WFF!**

Dilyn trywydd drygioni, a'r un a elwir ...

TAP TAP TAP TAP TAP TAP TAP TAP TAP TAP TAP

O wir, John. Braidd yn orddramatig, ti'n meddwl? Dwi'n gwybod ei bod hi'n anodd iti ffrwyno dy ddychymyg, ond byddai'n help pe gallet ti lynu at y ffeithiau!

Hei, dim ond cael tipyn o hwyl ydw i, Sherlock.

Beth bynnag, does gen i mo'r help. Mae'r cyfan mor gyffrous! Ac od!

BACHU!

Ro'n i eisiau cael rhywfaint o'r miri 'ma allan o 'mhen.

Ac fe fyddai hi'n eitha cûl pe byddai Baskerville yn dditectif go iawn.

Ha ha! Go brin! Mae gan Baskerville fwy o ddiddordeb mewn sniffian am sanau drewllyd a selsig.

Roedden ni yn nhŷ Martha, yn ymlacio ar ôl ysgol.

Roedd Sherlock wedi bod yn eistedd yn yr unfan ers oes pys, yn syllu ymhell i rywle, ac yn bwyta'r losin afiach yna. Ond yn sydyn fe gododd a dechrau camu'n fras o amgylch yr ystafell, gan chwifio'i freichiau (a fy iPad i) yn llawn cyffro.

"Ffeithiau, John, rhaid inni lynu at y ffeithiau! Ac mae arnon ni angen mwy ohonyn nhw. Er ..." edrychodd yn ystyriol ar fy stori eto, "mewn ffordd, dwyt ti ddim yn rhy bell ohoni fan hyn, hyd yn oed os nad wyt ti'n sylweddoli hynny." Edrychodd Martha draw ataf ac fe roliais fy llygaid. Pam na all Sherlock byth egluro'n syml beth sydd ar ei feddwl? Mae'n boen weithiau, a phwy a ŵyr beth sy'n chwyrlïo o amgylch y pen yna?

Roedd yna un peth yn sicr; fyddwn i ddim yn cael fy iPad yn ôl am sbel.

"Oes, mae yna lawer o blaid rhinweddau ci da wrth chwilota am gliwiau a datrys problemau," meddai Sherlock. "Fel yr adeg yna pan gafodd Mr Ffowc ei gloi yn y cwpwrdd cyfrifiaduron, a phwy bynnag wnaeth yn pentyrru'r holl fyrddau tu allan y drws, rhag ofn."

"Ha ha! Ie, dwi'n cofio hynny," torrodd Martha ar ei draws. "Roedd o mor ddoniol!"

"Roedd Mr Ffowc yn gandryll, a bu'n curo ar y drws am hanner awr a mwy, ond allai neb ei glywed. Roedd yr athrawon i gyd yn gwybod ei fod ar goll ond allai neb ddod o hyd iddo."

Mr Ffowc

"Felly ... beth sydd gan Baskerville i'w wneud â hynny?" gofynnais.

"Moriarty a'i ffrindiau oedd wedi cloi Mr Ffowc yno.

"Fe roddais fisgedi hufen cwstard o'r tun yn yr ystafell staff i Baskerville eu harogli – gan wybod mai dyna hoff fisgedi Mr Ffowc – ac fe sniffiodd ei ffordd i'r cwpwrdd mewn dim o dro!

"Ond hidia befo am hynny rŵan, John – mae meddwl am Baskerville wedi rhoi syniad gwych imi! Does dim angen iti fynd adre eto, nag oes? Da iawn. Achos rydyn ni'n mynd yn ôl i'r ysgol. Mae bron yn amser mynd â'r ci am dro!"

Doedd gen i *ddim syniad* beth oedd y cynllun
gwych yma gan Sherlock, a llai o syniad fyth
beth oedd ganddo i'w wneud â Baskerville neu
Seren yr Alpau. Ond siawns nad oes angen imi
ddweud wrthych bellach nad oes dim byd byth yn
amlwg gyda Sherlock.

Yn ffodus, doedd cynlluniau Sherlock ar gyfer y
noson honno ddim yn cynnwys cloi unrhyw athro
mewn cwpwrdd. Ond yn anffodus i mi, doedden
nhw fawr gwell chwaith. Ac am ryw reswm,
roedden ni angen bisgedi hufen cwstard ...

GOFYNNWCH I BASKERVILLE!

Reit, ddarllenwyr! Pan fyddwch chi'n synhwyro bod gennych glamp o broblem, bydd arnoch angen help gan rywun sydd â'i drwyn ym mhopeth. Felly heddiw rydyn ni'n mynd i ofyn am gymorth gan ein hoff ffrind blewog, Baskerville.

Felly Baskerville, beth amdani? Wyt ti am ein helpu ni?

WFF!

Dyna ni, gwych! Mae 'wff' yn golygu 'ydw'. Felly, beth am ddechrau –

WFF! WFF!

Daliwch funud! Dyna ddwy 'wff', sy'n golygu 'nac ydw' ... felly dwyt ti ddim am helpu wedi'r cwbl? Wel, rhaid bod hynny'n golygu –

WFF! WFF! **WFF!**

Tair wff! Sôn am ddryslyd. Wyt ti am ein helpu ni ai peidio, Baskerville bach?

ARŴŴŴŴŴŴŴ

Iawn, o'r gorau. Ac i ffwrdd ag o!

Mae'n hamser ni wedi dod i ben heddiw. Ond dyna i chi gi sydd â thrwyn am stori!
Welwn ni chi y tro nesaf, ddarllenwyr!

SWYDDFA

Ms

DeROSS

"Ym ... Ydych chi wir yn meddwl y
dylen ni fod yn gwneud hyn?"

Dyna'r oll y gallwn feddwl amdano wrth inni
ymbalfalu drwy'r ffenest a hithau'n ddu fel bol
buwch. Wedi'r cyfan, mae pawb
yn gwybod nad yw sleifio o
amgylch yr ysgol gyda'r nos
yn syniad da ...

O GWBL.

A do'n i'n bendant ddim yn meddwl ei bod hi'n syniad da sleifio o amgylch swyddfa Ms DeRossi ...

Ond, a bod yn onest, dyna'r mathau o gwestiynau y dylwn i fod wedi eu gofyn i mi fy hun yn gynharach. Cyn cychwyn yn Ysgol Stryd y Popty. Dyna'r mathau o gwestiynau y byddwn i wedi'u gofyn i mi fy hun cyn imi gwrdd â Sherlock Holmes. Roedd hi braidd yn hwyr erbyn hyn!

"Wir, John, does dim angen iti fod ar bigau'r drain," meddai Sherlock, yn llawn hyder. "Roedd y ffenest eisoes ar agor, on'd oedd hi? A dyma'r adeg pan fydd y gofalwr, Mr Musgrave, yn mynd â Baskerville am dro, felly does neb o gwmpas."

"Wel dwi'n meddwl ei fod yn syniad gwallgo!" O leiaf roedd Martha'n cytuno â fi. "Ond dwi wrth fy modd ag o! Am beth ydyn ni'n chwilio, beth bynnag? A pham ydyn ni yn swyddfa Ms DeRossi?" gofynnodd wrth inni ddisgleirio golau fflachlamp o amgylch yr ystafell.

"Wel, a dweud y gwir, mae yna rywbeth nad ydw i wedi'i ddweud wrth y ddau ohonoch chi hyd yma ..." Roedd Sherlock eisoes yn chwilota ar ddesg Ms DeRossi. "Pan seiniodd y larwm yn yr amgueddfa, a finnau'n sleifio drwy'r allanfa dân, roedd rhywun newydd fynd drwy'r drws o 'mlaen i. A'r person hwnnw oedd ..."

"Ms DeRossi!" ebychodd Martha.

"Beth?" Anelais fy fflachlamp i gyfeiriad Sherlock. "Wyt ti'n dweud bod Ms DeRossi rywsut yn rhan o'r ymgais i ddwyn Seren yr Alpau? Ac aros funud – ai chwilio am y tlws go iawn ydyn ni? Yn swyddfa Ms DeRossi?!"

"Ha! Paid â bod yn wirion, John ... O leia, dwi ddim yn meddwl mai dyna rydyn ni'n ei wneud."

"Ond–"

"Rydyn ni'n chwilio am unrhyw beth allai fod o ddiddordeb. Unrhyw beth all ein helpu i ddechrau rhoi'r darnau at ei gilydd. Rhywbeth fel hyn! Ie! A hwn yn bendant! Nid yr hyn ro'n i'n ei ddisgwyl yn union, ond mae'n bendant yn awgrymog!"

"Beth? Beth wyt ti wedi'i ddarganfod?" Roedd Martha'n cyffroi ac fe allwn i deimlo'r blew bach ar fy ngwar yn sefyll yn stond.

"Edrychwch fan hyn ac fe welwch chi," meddai Sherlock, gan daflu golau ei fflachlamp ar y ddesg.

"Iesgob, rhaid ei bod hi'n caru'r arddangosfa yna," meddai Martha. "Mae 'na o leia dri deg o docynnau yma."

"Ac nid dyna'i diwedd hi."

"Ffeil ysgol Moriarty?"

"Wel – mae o mewn rhyw bicil neu'i gilydd o hyd," ochneidiodd Holmes. "Ond edrychwch ar hyn ..."

"Bathodyn staff. Ond sut cafodd hi ...?"

"Hidia befo am hynny, John. Dwi wedi gweld yr hyn ro'n i angen ei weld ac mae gennyn ni tua pum munud i ddianc cyn i Mr Musgrave ddod â Baskerville yn ôl! Ty'd yn dy flaen, Martha!"

Mae ymennydd Sherlock yn gweithio mor gyflym. Do'n i'n dal ddim yn siŵr beth yn union roedden ni wedi'i weld, ond wrth inni gamu'n ôl i'r cysgodion ac oddi ar dir yr ysgol roedd un peth yn dal i 'mhoeni ...

"Hei! Pam roedd angen imi ddod â'r bisgedi?!"

"Ha ha! Fy syniad i oedd hwnnw, John," chwarddodd Martha. "Mae datrys dirgelion yn waith llwglyd, wedi'r cwbl!"

Doedd Sherlock ddim yn yr ysgol drannoeth. Doedd gan Martha ddim mwy o glem na finnau ble roedd o, ond doedd hi ddim fel petai llawer o ots ganddi chwaith. Diolch, Martha! Ro'n i'n nerfus ynghylch gofyn i Mrs DeRossi ble roedd o rhag ofn i 'ngwyneb i ddatgelu'r

Ydi o'n edrych fel 'mod i'n poeni?

cyfan – ond gofyn wnes i yn y diwedd, a'r oll ddywedodd hi oedd bod Sherlock yn sâl. Roedd hi'n edrych yn bell, fel petai ganddi bethau pwysicach ar ei meddwl, ac am yr ail ddiwrnod yn olynol fe gawson ni wylio DVD yn lle gweithio.

Sâl, felly, ie? Wel doedd o ddim yn edrych yn sâl iawn neithiwr ...

Chlywais i ddim byd gan Sherlock dros y penwythnos chwaith, ac ro'n i'n dechrau poeni o ddifri. Dywedodd Martha ei fod yn treulio amser gyda'i frawd, fwy na thebyg, ond doedd hynny'n ateb dim. Fe fynnodd Martha ein bod ni'n gweithio ar ein prosiect Oes Fictoria, gan fod rhaid inni ei gyflwyno i'r dosbarth brynhawn Llun.

Erbyn bore dydd Llun roedd fy mhen i ar fin ffrwydro, felly fe allwch ddychmygu fy syndod pan gyrhaeddodd Martha a finnau'r llyfrgell er mwyn gwneud rhywfaint o waith munud olaf ar ein prosiect ... a gweld Sherlock yn eistedd yno wrth ddesg yn aros amdanom, fel petai dim byd o'i le, ac fel petai dim mwy na phum munud ers inni ei weld ddiwethaf.

Hei, Watson.
Martha.

Sut ydych chi'ch dau heddiw? Does dim gwell na thamaid o ymarfer corff cyn brecwast, rhaid dweud!

Sherlock! Rydyn ni wedi bod yn poeni'n ofnadwy! Ydi popeth yn iawn?

Mae popeth yn wych! Allai pethau ddim bod yn well, a dweud y gwir. Rydw i wedi bod yn tyrchu rhywfaint. Mae 'na hanes difyr iawn i Seren yr Alpau, oes wir. Bu pobl yn dadlau ynghylch ei pherchnogaeth ers y diwrnod pan gafodd ei darganfod. Mae'n waith darllen hynod o ddiddorol ...

DANGOS
-A-
DWEUD

Roedd fy mhen i fel balŵn ar fin byrstio. Sawl gwaith eto fyddai Sherlock yn fy syfrdanu? Beryg ei bod hi'n hen bryd imi ddod i arfer â'r peth.

Ond ches i ddim llawer o amser i bendroni oherwydd roedd hi'n bryd i ni gyflwyno ein prosiect ar Oes Fictoria i'r dosbarth.

Ac fe aeth ein prosiect ni'n arbennig o dda. Roedd Martha a Sherlock a finnau wedi penderfynu gwisgo fel pobl o Oes Fictoria gan ddefnyddio rhai o'r dillad y gwnaethon ni eu darganfod yn nhŷ Martha, ac fe wnaethon ni actio golygfa o ddrama yr oedd Sherlock wedi ei chanfod yn un o'r dyddiaduron llychlyd yn yr atig, am y ditectif Sherinford. Ro'n i'n eithaf sicr na fyddai unrhyw un arall yn gwneud peth mor wreiddiol â hynny. Roedden ni'n union fel arch-arwyr o Oes Fictoria!

104

Dau dditectif o Oes Fictoria oedd Sherlock a Martha, a fi oedd awdur y stori, yn adrodd hanes eu hanturiaethau brawychus. Y peth gorau oll oedd bod Martha wedi benthyg Baskerville am y prynhawn hefyd, felly fe gafodd yntau gyfle i fod yn gi-tectif gwyrthiol – am bum munud beth bynnag!

Roedd yn hwyl gweld cymaint o ymdrech roedd pawb arall wedi'i gwneud gyda'u prosiectau. Roedd Math a Harri wedi adeiladu model anhygoel o'r

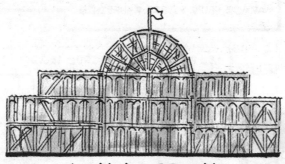

Y PALAS GRISIAL

Palas Grisial o Oes Fictoria, fel yr un welson ni yn yr amgueddfa, gyda channoedd o'r ffyn bach pren yna mae pobl yn eu defnyddio i drol eu paneidiau! Ond does ryfedd ei fod cystal – yn ogystal â thad sy'n arolygydd gyda'r heddlu, mae ganddyn nhw fam sy'n athrylith o bensaer!

Ond y syndod mwyaf oll oedd cyflwyniad James yn trafod pam mae amgueddfeydd yn cael cadw gwrthrychau sy'n eiddo i wledydd eraill. Am unwaith, roedd o'n swnio fel petai o ddifri ac yn ddidwyll, a ddim yn bod yn biwis o gwbl.

... MAE YNA RAI POBL SY'N DAL I GWESTIYNU PERCHNOGAETH RHAI O'N TRYSORAU MWYAF, FEL SEREN YR ALPAU, AC EISIAU GWELD YR HENEBION DRUDFAWR YMA'N CAEL EU DYCHWELYD I'W ... GWIR BERCHNOGION. MAE'N RHYFEDDOL YR YMDRECH Y BYDD RHAI POBL YN EI GWNEUD I HAWLIO'U TRYSORAU'N ÔL. OND Y DRAFFERTH YW BOD AMGUEDDFEYDD YN LLAWN POBL SY'N METHU'N LÂN Â MEINDIO'U BUSNES. WYT TI'N CYTUNO, SHERLOCK?

"Mae hwn yn eitha da," sibrydais wrth Sherlock. "Hei, ai dyna'r cerflun o Napoleon ro'n i'n tynnu ei lun cyn i Seren yr Alpau fynd ar goll?"

"Ie wir, John. Yr union un," meddai Sherlock yn ddwys.

Rhaid cyfadde bod y cyflwyniad yn wirioneddol ddifyr! Ac fe wnaeth argraff ar Ms DeRossi hefyd, yn amlwg – roedd hi'n syllu'n gegagored ar James. Ond trueni na allai James atal ei hun rhag ychwanegu rhyw ergyd fach i Sherlock. Mae yna rywbeth gwael am ddigwydd rhwng y ddau yna'n fuan, heb os. Ond doedd fawr o ots gan Sherlock chwaith. Yn wir, roedd yna olwg gyfarwydd ar ei wyneb, ac ro'n i'n gwybod bod ei ymennydd aruthrol ar fin cychwyn troelli ...

NEWYDDION...

Roedden ni gyd yn sefyllian yn y coridor ar ôl y wers pan ddechreuodd poced Sherlock wneud sŵn.

"Difyr iawn, iawn!" meddai'n dawel, gan ddangos ei ffôn i mi. "Cytuno, John?"

Neges destun oedd hi – gan ei frawd, Mycroft, dwi'n cymryd.

"Difyr?! Hynod o ddifyr. Pietro Vencini yw'r –"

bssssss

bssssss

11:08

Neges Newyn

Mae Pietro Vencini yn cael ei ryddhau pnawn 'ma. M

Llithrwch i weld

"Yn union, John. Y lleidr."

Roedd Sherlock yn bodio neges yn wyllt. Yna fe agorodd wefan newyddion. Roedd y lleidr lletchwith, Pietro Vencini, wedi ei blastro drosti eto.

"Edrycha," meddwn i, "roedd Mycroft yn iawn. Mae yna fideo ohono'n cael ei ryddhau."

"'Tystiolaeth newydd wedi dod i law.' Ac mae o wedi gwneud datganiad hefyd."

RWY'N EDRYCH YMLAEN YN FAWR AT DDYCHWELYD I'R AMGUEDDFA. A GWELD FY NGHI BACH, NAPOLEON. A'M GWRAIG, WRTH GWRS. DIOLCH.

Od. Fe ddywedodd o rywbeth tebyg o'r blaen, on'd do? A phwy sy'n galw ci yn Napoleon?!

Ci? Ro'n i'n meddwl mai ei fab oedd Napoleon.

Ha! Dyna ni – o, mae hynny'n wych. Cynllun anhygoel o glyfar. Rhaid i mi, hyd yn oed, gyfadde hynny. Mae'r cyfan yn gwneud synnwyr rŵan. Ond mae'n rhaid inni frysio. Does gennych chi'ch dau ddim cynlluniau ar ôl ysgol, na? Da iawn! O, oes? Wel – bydd rhaid i chi eu newid. A Martha, dwi angen iti wneud rhywbeth ar fy rhan i, os nad oes ots gen ti. Ty'd yn dy flaen, John, ar dy draed …

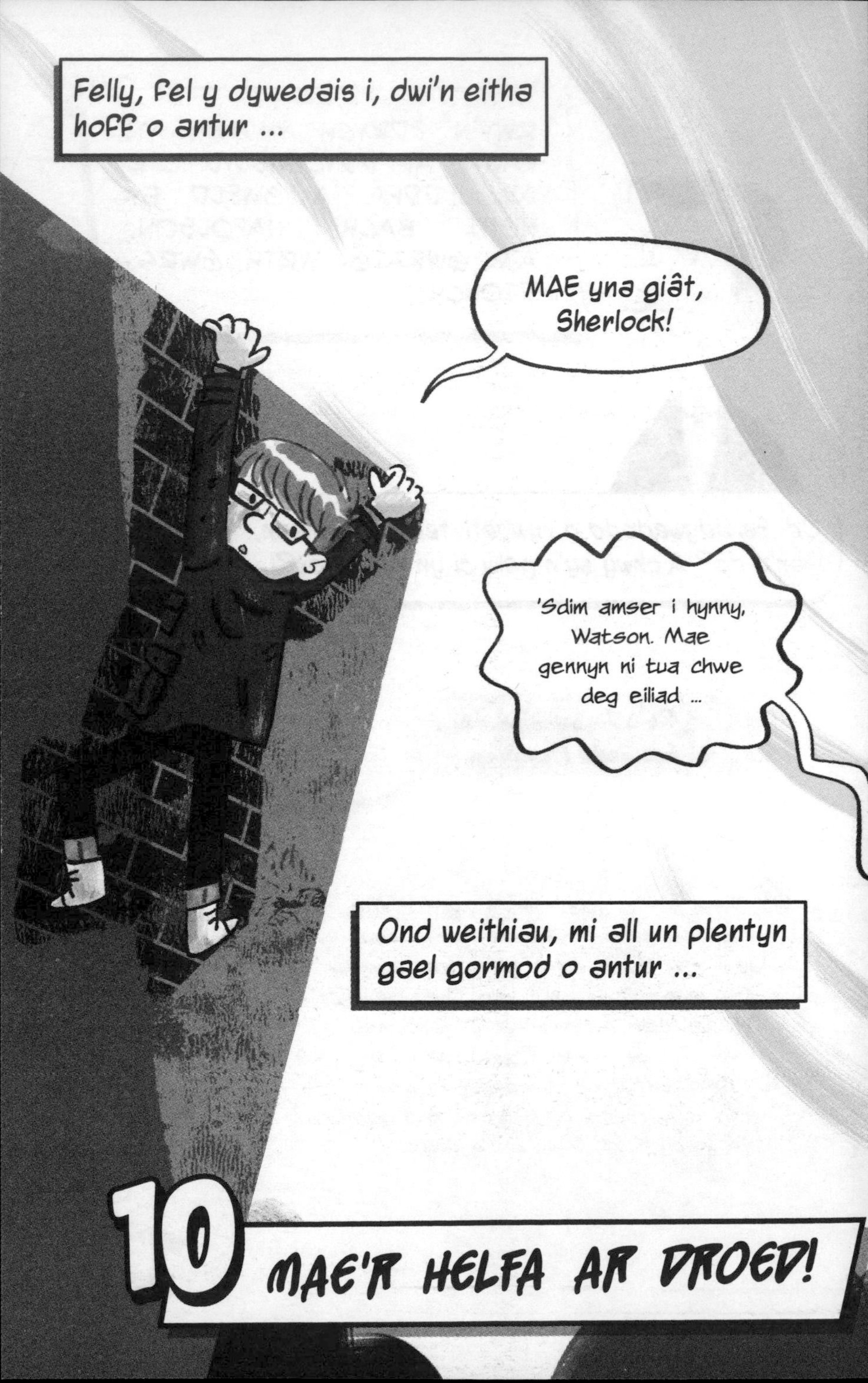

10 MAE'R HELFA AR DROED!

ANTUR GYDA NAPOLEON

Ac ydych chi'n cofio pan ddywedais ei fod o fel ci hela yn dilyn trywydd? Ro'n i'n iawn am hynny hefyd.

Wnaeth Sherlock ddim yngan gair wedi inni lamu ar y bws. Roedd o fel petai mewn swyngwsg, a'r ymennydd aruthrol yna'n troelli fel melin wynt. Ond yna, wrth inni gael cip ar yr amgueddfa, fe ddeffrodd drwyddo. Neidiodd oddi ar y bws ac roedd yn rhaid imi wibio i ddal i fyny ag o.

"Beth ydyn ni'n ei wneud, Sherlock?" gofynnais yn fyr fy ngwynt. "Oni ddylen ni adael hyn i'r heddlu?" Ro'n i'n gwybod ei fod ar drywydd rhywbeth pwysig iawn, ond eto, ro'n i'n meddwl y byddai cael rhywfaint o help i ni yn beth braf.

Wrth inni agosáu at risiau anferth y fynedfa, ro'n i'n meddwl 'mod i'n gweld ffigwr cyfarwydd yn mynd i mewn trwy'r drysau o'n blaen ni.

"Aros funud, Sherlock. Ai James Moriarty ydi hwnna?" Roedd pethau'n dechrau troi'n ddryslyd. Beth yn y byd oedd James Moriarty yn ei wneud yma? A pham roedd Sherlock yn rhedeg ar ei ôl?

Roedd fy meddwl innau ar ras, fy ngwaed yn rhuthro drwy 'ngwythiennau a sŵn strydoedd prysur Llundain yn llenwi 'nghlustiau, ond ro'n i'n amau hefyd 'mod i'n clywed seiren car heddlu yn nesáu ...

Taflodd Sherlock ei hun drwy ddrysau mynedfa'r amgueddfa a brysiais innau ar ei ôl, yn ymladd am wynt. Roedd hi bron yn amser cau felly doedd hi ddim mor brysur â hynny, ond wnaeth hynny mo fy rhwystro rhag colli golwg ar Sherlock yn syth.

"Sherlock!" Rhuthrais ar ei ôl, gan adael yr ymwelwyr diwedd dydd ar wasgar o'm cwmpas.

Wrth imi garlamu drwy'r ddrysfa o bileri a cherfluniau, fe gollais Sherlock eto. Llamais i fyny'r set agosaf o risiau marmor mawr er mwyn cyrraedd y balconi uwchben, fel y gallwn edrych i lawr ar yr ystafell gerfluniau a chael cip arno, gobeithio.

Yr eiliad honno daeth adlais o'r gwagle enfawr islaw imi ...

ALLI DI DDIM GADAEL LONYDD I BETHAU, ALLI DI, SHERLOCK? WASTAD YN BUSNESU. WASTAD Â DY DRWYN DWL LLE NAD OES MYMRYN O'I EISIAU.

Y tro yma doedd gen i ddim amheuon. James Moriarty oedd o, yn bendant. A finnau'n meddwl 'mod i'n gweld pethau gynnau!

Wedi hir a hwyr fe ges gip ar Sherlock oddi tanaf. Roedd o wedi dod i mewn drwy un fynedfa pan ddaeth Moriarty i mewn drwy'r llall.

"Rwyt ti'n un da i sôn am fusnesu, James," atebodd Sherlock o ochr draw'r ystafell. "Dim ond diddordeb mewn pethau sydd gen i. Ac rwyt ti wastad yn gwneud dy hun mor ... ddiddorol." Allwn i ddim credu'r olygfa o'm blaen. Roedd fel gornest o'r Gorllewin Gwyllt, a'r ddau ohonyn nhw'n aros i weld pwy fyddai'n tanio gyntaf.

Cymerais anadl ddofn a throi'n ôl i lawr y grisiau. Wrth imi redeg gallwn glywed Moriarty yn bloeddio:

EDRYCH ARNAT TI DY HUN, SHERLOCK! TI FEL RHYW HEN GOSI ANNIFYR SY'N GWRTHOD MYND. DWI WEDI CAEL LLOND BOL ARNAT TI'N TARFU DRWY'R AMSER. OND MI FYDDA I'N CAEL TLWS REICHENBACH YN EI ÔL, WAETH BETH WNEI DI.

"Fyddi di wir, James? Petawn i yn dy le di, fyddwn i ddim yn gwneud hynny ..." taranodd Sherlock.

Hyrddiais fy ffordd drwy'r drysau i'r ystafell gerfluniau. Roedden nhw'n cylchu ei gilydd erbyn hyn, ac yn plethu rhwng gwaelodion y pileri a'r cerfluniau. Ac wrth imi agosáu ...

"Cadw dy drwyn allan o hyn, Sherlock," rhybuddiodd Moriarty. "Dim ond ceisio hawlio fy eiddo fy hun yn ôl ydw i!"

"Dy eiddo di drwy dwyll, ti'n feddwl!"

Doedd gen i ddim clem am beth roedd Moriarty'n sôn. Tlws Reichenbach?

Beth ddywedodd o? Hawlio ei eiddo'n ôl? Beth yn y byd oedd yn digwydd? Syllai Sherlock a James ar ei gilydd mewn mudandod. Gallwn deimlo'r tensiwn o'n cwmpas ...

Wrth imi nesáu, gallwn weld bod James yn sleifio fesul modfedd at set o gerfluniau. Chwarddodd Sherlock. "O, dwi'n gwybod yn iawn beth ti'n ei wneud, Moriarty. Fe wnaeth y ddau ohonon ni ddehongli'r negeseuon yna, yn do? Y dyn teulu ..."

Cyfeiriodd Sherlock at gerflun o ddyn yn dal dau blentyn bychan. "Ac wrth gwrs, Napoleon yn pwyntio at un o'r pileri ..."

Yn sydyn, rhuthrodd Moriarty i ochr draw yr ystafell. Rhedodd at y cerflun o ddyn yn cydio mewn dau blentyn a neidio ar sylfaen isel y cerflun drws nesaf iddo. Dechreuodd ddringo'r ffigwr enfawr yn wyllt. A dyna pryd y sylwais mai cerflun o Napoleon oedd o, a'i fraich ar led.

"Paid, James. Ty'd i lawr! Bydd yr heddlu yma unrhyw funud ac fe wnei di bethau'n waeth i ti dy hun."

"Cau hi, Sherlock!"

Yr eiliad honno dechreuodd y larymau seinio o'n cwmpas ac fe sefais yn stond. Roedd hyn yn union fel y fflach-dorf eto! Roedd James Moriarty bron â chyrraedd brig y cerflun. Gan geisio sefyll ar ei ysgwyddau, estynnodd at het Ymerawdwr Ffrainc ...

"Aha! Ro'n i'n iawn!" bloeddiodd. "Dyma fo! Mi ddywedais i wrthot ti gadw dy drwyn allan o 'musnes i, Sherlock. Mae'n bryd inni adfer rhywfaint o etifeddiaeth y teulu ..."

Wrth iddo dynnu ei law oddi wrth y cerflun gallwn weld bod Moriarty yn cydio'n dynn yn rhywbeth – ond dim ond pan ddisgleiriodd goleuadau'r amgueddfa arno y sylweddolais beth ro'n i'n ei weld ... roedd James Moriarty wedi darganfod Seren yr Alpau!

Ro'n i'n gwbl gegrwth. Ond a finnau'n meddwl na allai pethau fynd dim rhyfeddach, pwy neidiodd o'r cysgodion ond lleidr gwreiddiol yr amgueddfa, oedd ddim mor ddiniwed â hynny wedi'r cwbl – Pietro Vencini. Rhuthrodd heibio i mi a Sherlock a llamu nes ei fod yn sefyll wrth ochr Moriarty ar sylfaen cerflun Napoleon.

"Os gwelwch yn dda, Signor Moriarty." Roedd ei lais yn oer ac awdurdodol. "Fe gymera i Dlws Reichenbach. Fyddech chi ddim eisiau gwylltio'r Athro eto." Roedd golwg sinistr ar wyneb Pietro ac roedd pob gair o'i eiddo yn iasol.

Am eiliad roedden nhw fel cath a llygoden, ond roedd Pietro'n ddyn tal a bu'n hawdd iddo gipio'r tlws disglair o afael James a neidio'n ôl i'r llawr.

"Na!" bloeddiodd Moriarty, gan sgrialu i lawr ar ôl Vencini. "Rwyt ti wedi gwneud smonach o hyn unwaith eisoes! Fi biau'r tlws a dwi am fynd ag o adre. Yno mae o'n perthyn."

Hyrddiodd ei hun i gyfeiriad Vencini, ond estynnodd Sherlock ei fraich i'w atal. "Paid, James!"

"Cadwa dy fachau busneslyd i ti dy hun!"

"Na, wir, mewn ychydig eiliadau dwi'n meddwl y byddi di'n cytuno bod yn well iti adael lonydd iddo. Mewn ychydig eiliadau ..."

Oedodd Moriarty a dechreuodd Pietro gilio, gan wenu'n giaidd. "Mi fyddi di'n diolch imi yn nes ymlaen, Signor James."

Yna rhedodd i gyfeiriad y drws ... Ond chyrhaeddodd o mo ben draw'r ystafell cyn i'r holl fynedfeydd gael eu hatal gan heddlu, ditectif arolygydd â golwg hynod o lym arno a ...

MARTHA?!

Ac, arhoswch funud ...

MS DEROSSI?!

Ro'n i'n teimlo fel petawn i wedi
bod yn dal fy anadl ers canrifoedd
ond yn sydyn fe ddeffrais drwydda i.

"Ms DeRossi! Martha? Beth
ydych chi'n ei wneud yma?" baglais dros
fy ngeiriau. "Ditectif Arolygydd Baker ...
Sherlock, beth sy'n digwydd?"

"Paid â phoeni, John. Fe ofynnais i
Martha gasglu pawb ynghyd a chwrdd â ni
yma. Dwi'n meddwl y gallet ti ddweud bod popeth
'mewn llaw'." Roedd llygaid Sherlock yn disgleirio
fel dwy em, ac roedd yn wên o glust i glust.

"Prynhawn da, Ditectif Arolygydd
Baker. John, gad imi dy gyflwyno
di. Dyma Ms Carla DeRossi,
uwch-gynrychiolydd yn
Asiantaeth Henebion yr Eidal,
ac un o'r swyddogion cudd-
wybodaeth gorau y gallai
Heddlu Llundain ei gael
mewn ymchwiliad troseddol
celfyddydol fel hwn."

Nodiodd Ms DeRossi ei phen i 'nghydnabod i, cyn troi ei sylw at Vencini, oedd yn gwingo i gyd a'i wyneb yn goch gan ddicter.

Beth yn y byd?! Allwn i ddim credu'r hyn ro'n i'n ei glywed!

ROEDD MS DEROSSI YN DDITECTIF HEFYD?

Sôn am chwalu pen rhywun! Ac roedd fy sbectol wedi stemio yn yr holl gyffro. Roedd hyn yn hollol nodweddiadol o Sherlock – datgelu'r cyfan wrthyn ni ar y diwedd un, a ninnau wedi bod yn ymbalfalu cyhyd mewn tywyllwch. Weithiau byddai'n braf cael gwybod beth sy'n digwydd!

Yn y cyfamser roedd Moriarty'n eistedd yn swp ger sylfaen cerflun Napoleon, yn mwmian yn wyllt. "Nid dyma'i diwedd hi, Sherlock. Ddim o bell ffordd. Ti a'th ddilynwyr bach tila ... Does gen ti ddim syniad sut beth yw cerdded yng nghysgod cyfenw fel f'un i ..."

Am eiliad roedd gen i biti drosto, ond ches i fawr o amser i ystyried cyn i'r Ditectif Arolygydd Baker gau pâr o efynnau yn glep am arddyrnau Pietro Vencini a throsglwyddo'r diemwnt amhrisiadwy i Ms DeRossi.

"Dwi'n meddwl y byddai'n fwy diogel i chi gadw eich gafael ar hwn am rŵan, Ms DeRossi. Yn sicr, fydd dim o'i angen ar ein cyfaill Mr Vencini yn y dyfodol agos. Dwi'n meddwl y bydd yna gryn dipyn o gwestiynau i'w gofyn am sut yn union y daethoch chi blant yn rhan o'r busnes 'ma, yn enwedig Mr Moriarty fan hyn. Ond dyna ddigon o gyffro am un prynhawn."

"Diolch i chi, Ditectif Arolygydd Baker," meddai Ms DeRossi. "Dwi'n cytuno – ac o hyn allan byddai'n well gennyf petaech chi i gyd yn ddiogel yn yr ysgol yn hytrach nag yn erlid tlysau a throseddwyr. Gadewch hynny i'r heddlu! Y peth pwysig yw y bydd yr amgueddfa'n hynod o ddiolchgar bod eu diemwnt trafferthus wedi cael ei ddychwelyd yn ddiogel. Mae'n siŵr yr hoffent ddiolch i ti hefyd, Sherlock. Da iawn. Ac yn awr," gwenodd, "efallai yr hoffech chi gyd weld y garreg fach a greodd yr holl helynt."

Daliodd Ms DeRossi y diemwnt yn uchel er mwyn inni gyd ei weld. Roedd yn rhyfeddol o ddisglair dan oleuadau'r amgueddfa, yn union fel seren.

"Waw!" meddai Martha.

"Mae'n anhygoel, yn tydi? Ond alla i dal ddim credu bod rhywbeth mor fach wedi creu cymaint o ffwdan."

"Na fi chwaith! Ac alla i ddim credu bod ein hathrawes ni'n gweithio gyda'r heddlu, a bod Sherlock yn gwybod hynny hefyd!"

Tlws Reichenbach

Yr Athro MORIARTY

Sam Hearn

"Ond dwi ddim yn sicr 'mod i'n deall popeth yn iawn," meddwn i wrth Sherlock wrth i Ms DeRossi hebrwng James i ffwrdd ac wrth i sawl heddwas lusgo Vencini, yn gwingo ac yn rhegi, allan o'r amgueddfa. "Ai'r un un yw Tlws Reichenbach â Seren yr Alpau? A phwy yw'r 'Athro' 'ma?"

"Yr 'Athro' yw tad James – dihiryn arbennig o gyfrwys a pheryglus o'r enw yr Athro Moriarty. Ac o ran y diemwntau, y gwir yw mai'r un tlws yw'r ddau, Watson – ond dim ond wedi imi ymchwilio rhywfaint, gyda help Mycroft, y sylweddolais i pa mor agos oedd y cysylltiad â theulu Moriarty.

"Ti'n gweld, i deulu Moriarty, nid Seren yr Alpau yw hi o gwbl. Iddyn nhw, Tlws Reichenbach ydi o – trysor teuluol coll a ddygwyd oddi arnyn nhw ganrif a mwy yn ôl.

"Yn 1887, roedd yr Athro Moriarty, hen, hen, hen daid James, yn rhan o'r criw a ddarganfyddodd y diemwnt amhrisiadwy. Ond cafwyd dadlau ac anghytuno o'r eiliad y tynnwyd y tlws o'r ddaear, heb sôn am lofruddio a thwyll.

Yr Athro Moriarty

Arweiniodd y cyfan at ddiarddel yr Athro o'r grŵp a chafodd ei enw ei ddileu o'r cofnodion swyddogol. Ond roedd yr Athro wedi etifeddu'r tueddiadau mwya dieflig, John. Roedd yn dod o linach o droseddwyr. Ymgiliodd i'w guddfan yn y Swistir, ger rhaeadrau enwog Reichenbach, gan fynnu y byddai'n dial ar y rheini a wnaeth gam ag o. Câi ei alw'n Napoleon y byd troseddol."

"Wela i! Napoleon. Fel y cerflun," dywedais. "A rhaeadrau Reichenbach – fel y tlws!" O leiaf roedd y rhan honno o'r stori'n gwneud synnwyr rŵan.

Mae'r cyfan yn eitha syml pan edrychi di ar y darnau i gyd. Ti'n gweld, John, yn wahanol i bawb arall, ro'n i'n sicr fy meddwl bod y Seren wedi cael ei dwyn ar ddiwrnod ein hymweliad â'r amgueddfa. Dwi wedi gweld Seren yr Alpau sawl gwaith o'r blaen ac ro'n i'n gwybod mai'r tlws go iawn oedd yr un oedd yn cael ei arddangos yno cynt. Roedd ganddo nodweddion arbennig nad oedden nhw i'w gweld ar yr un ffug, er mor dda oedd hwnnw. Fe ges i gadarnhad o hynny pan aethon ni'n ôl i edrych arno. O'r fan honno, yr oll oedd raid i mi ei wneud oedd dilyn y cliwiau ...

Ro'n i'n gwybod bod James ar ryw berwyl drwg y tro cynta inni ymweld â'r amgueddfa – ro'n i wedi ei weld yn siarad â Vencini yn gynharach, a fo oedd yr unig un na throdd i edrych ar y fflach-dorf, felly fe benderfynais gadw llygad arno. Ac wedi imi sylweddoli bod gan y teulu Moriarty gysylltiad â'r holl beth, roedd y digwyddiadau yn yr amgueddfa yn gwneud mwy o synnwyr imi. Bwriad yr Athro oedd y byddai Mr Pietro Vencini, oedd yn esgus bod yn aelod o staff yr amgueddfa, yn cyrraedd yr amgueddfa â thlws ffug. Ar adeg benodol, byddai yna ddigwyddiad i dynnu sylw pawb yn un o'r ystafelloedd arddangos – sef y fflach-dorf, oedd wedi cael eu talu i godi twrw.

Pan fyddai'r dryswch a'r miri ar ei anterth, byddai Pietro'n dwyn y tlws go iawn a'i drosglwyddo i'w gyd-leidr, gan gadw'r tlws ffug yn ei feddiant. Roedd o wastad yn bwriadu cael ei ddal, ti'n gweld.

"Yna byddai'r lleidr, Pietro, yn ceisio dianc yn llygad y cyhoedd, gyda'r tlws ffug, a byddai'n cael ei ddal yn hawdd gan yr heddlu. Yn rhy hawdd, o bosib ... Yn nes ymlaen, byddai'r ffaith bod y tlws yn un ffug yn cael ei ddatgelu, gan achosi dicter ledled y byd, niweidio enw da'r amgueddfa a gadael y tlws go iawn yn nwylo'r un a ddyfeisiodd y cynllun o'r cychwyn – sef,

131

heb amheuaeth bron, tad James, yr Athro Moriarty presennol. Er, dwi'n meddwl y bydd hi'n anodd iawn i'r heddlu a Ms DeRossi brofi unrhyw gysylltiad troseddol ac eithrio'r hanes teuluol rydw i wedi'i egluro wrthyt ti eisoes, John ..."

"Brensiach! Does ryfedd fod James mor biwis drwy'r amser," meddai Martha. "Mae'n rhaid ei bod hi'n eitha anodd cael coeden achau fel'na."

"Yn union, Martha," cytunodd Sherlock. "Ond beryg iawn mai llathen o'r un brethyn ydi o."

"Roedd hwnna'n gynllun da," cyfaddefais. "Roedd Vencini'n amlwg yn gobeithio y byddai ei griw yn gallu dehongli'r neges a dychwelyd i gasglu'r tlws go iawn, oedd wedi'i guddio ar gerflun Napoleon ..."

" ... Ar y piler," meddai Martha. "Ac yn pwyntio."

Perffaith gywir eto. Ond aeth un peth o'i le ... Roedd gan Ms DeRossi, ein hasiant gwych o'r Eidal, ei hamheuon ei hun y byddai rhywbeth od yn digwydd yn yr amgueddfa. Roedd hi wedi bod ar drywydd Mr Vencini ers sbel, ac nid cyd-ddigwyddiad oedd y ffaith iddi drefnu trip ysgol i'r Amgueddfa Henebion y diwrnod hwnnw. Roedd yn esgus gwych iddi fod yno. Roedd ganddi syniad pwy fyddai'r cyd-leidr, a phan ddechreuodd y fflach-dorf fe ddilynodd hi'r person hwnnw'n agos er mwyn gweld y tlws go iawn yn cael ei drosglwyddo gan y lleidr.

Ond pwy oedd y cyd-leidr dirgel yma?

Mae arna i ofn mai James Moriarty oedd o. Ac fe wnaeth gamgymeriad ffôl yn ymhél â busnes ei dad – fe aeth i banig pan welodd Ms DeRossi yn ei ddilyn, a methu union adeg y trosglwyddo, gan olygu bod gan Vencini ddau dlws, yr un go iawn a'r un ffug. Roedd yn rhaid i Pietro ddianc, ond cyn mynd fe guddiodd y tlws yn het Napoleon, ac yntau'n sicr y gallai ei gasglu yn nes ymlaen, neu ddweud wrth yr Athro ymhle y cafodd ei guddio. Dim ond wedi imi ddehongli'r datganiadau gwirion roedd cyfreithiwr Vencini yn eu gwneud y sylweddolais fod Seren yr Alpau wedi bod dan ein trwynau – neu ein hetiau – ers y cychwyn! Cofia, John ...

"Mae fy nghleient yn ddyn teulu caredig, ac yn ŵr ffyddlon i'w wraig a Napoleon bach.

Mae hyn oll yn pwyntio at y ffaith ei fod yn un o bileri'r gymuned. Does ganddo ddim oll i'w guddio dan ei het ac mae'n gobeithio'n fawr y caiff ddychwelyd i'r amgueddfa yn fuan."

Edrychais o'm cwmpas ar y cerfluniau gerllaw ac fe ddechreuodd y cyfan wneud synnwyr. "O, ie! Dwi'n deall rŵan ... Y dyn teulu caredig ... A Napoleon, yn pwyntio at y piler ... Go dda wir!"

"Ie. Allai'r neges ddim bod yn fwy clir. Ond fel mae'n digwydd, yr unig berson a lwyddodd i'w dehongli hi oedd ein cyfaill James Moriarty. A fi, wrth gwrs," ebychodd Sherlock.

"Mae hynny'n wych, Sherlock! Hynny yw, dwi'n gwybod 'mod i wedi dweud hyn ganwaith o'r blaen, ond wir, mae'r holl beth yn anhygoel. Y ffordd rwyt ti wedi rhoi'r darnau oll at ei gilydd a datrys y pos ... Hollol wych!"

"Rhaid imi gytuno â John y tro 'ma, Sherlock," nodiodd Martha. "Mae'r cyfan wedi bod yn eitha anhygoel. Hyd yn oed i ben bach fel ti! Ha ha!"

"Ond mae yna un peth bach," meddwn i. "Sut oeddet ti'n gwybod mai ar ein hochr ni roedd Ms DeRossi? Fe roddaist ti'r argraff i ni ei bod hi'n gysylltiedig â'r lladrad."

25 Trysor
Tocyn Mynediad

*

"Wel, roedd hi, wrth gwrs, John, ond
ddim fel roeddet ti a Martha'n meddwl! Roedd
hi'n amlwg o'r holl docynnau y gwnaethon
ni eu darganfod yn ei swyddfa hi yn ystod
ein 'sesiwn astudio' gyda'r nos ei bod
hi wedi ymweld â'r amgueddfa sawl
gwaith. Roedd hi hefyd
wedi mynd i'r drafferth
o gael bathodyn staff
fel y gallai hi grwydro
heb i neb darfu arni.
Roedd hi'n amlwg wedi
bod yn ymchwilio i
hanes Seren yr Alpau
ac wedi darganfod y cysylltiad
â theulu Moriarty – roedd ganddi hen
adroddiadau papur newydd ar ei desg yn

Ms. C. DeRossi

(AH)

43..-BMTR-

STAFF

001003776 SJH

MORIARTY J.
CYFRINACHOL

Y DWTK..
RFLUNIAU
...AU
AITH METEL

h unrhyw g

llach.

PORTREADAU
· OES FICTORIA
· PRINTIADAU A DARLUNIAU
· FFOTOGRAFFIAETH

cofion,

Arol. A Baker

ogystal â ffeil Moriarty. Yn olaf, roedd yna
gysylltiad â'r Ditectif Arolygydd Baker, ac
fe ddarganfyddais i'r ohebiaeth i gadarnhau
hynny. Ond weithiau rwy'n hoffi eich gwylio
chi'ch dau yn dod i'ch casgliadau eich hunain ...
Mae'n llawer mwy o hwyl i mi!"

Dechreuodd y tri ohonom chwerthin wrth
inni sefyll yno ar falconi'r ystafell gerfluniau.
Roedd y goleuadau'n cael eu diffodd ac roedd
y staff ac ambell heddwas oedd ar ôl yn aros i
wneud yn siŵr ein bod yn gadael yr amgueddfa
yn ddiogel. Roedd hi'n teimlo fel diwedd yr
antur. Allwn i ddim credu pa mor anhygoel fu'r
ychydig wythnosau diwethaf. Dwi'n gwybod bod
Sherlock yn meddwl 'mod i'n mynd dros ben
llestri, ond rhaid imi'n bendant sgwennu am hyn
ar ôl cyrraedd adre!

HA HA! HA HA! HAHA!

https://www.ycelfyddydauarlein.co.uk/newyddion-amgueddfeydd-llunda

 Y Celfyddydau Ar-lein

Newyddion > Amgueddfeydd > Llundain

TRI CHYNNIG I'R TLWS!

Fe glywsoch sôn efallai am y trioedd, a phethau'n digwydd fesul tri, ac mae hynny'n sicr yn wir yn hanes yr Amgueddfa Henebion. Tri chynnig fu hi yno, ac o'r diwedd maent wedi llwyddo i gael gafael eto ar Seren yr Alpau. Cliciwch yma i ddarllen mwy.

BACHGEN YSGOL YN ACHUB CAM YR AMGUEDDFA

ATAL LLEIDR SEREN YR ALPAU ETO!

CANFOD DIEMWNT DRUDFAWR YN DDIOGEL YN YR AMGUEDDFA

Yn ôl yr arfer, pen draw ein hanturiaethau gwallgo oedd ymlacio gyda'n gilydd yn 221B Stryd y Popty. Ond y tro yma roedd yna aelod ychwanegol yn y criw, gan fod Baskerville wedi dod i ymuno yn yr hwyl! Roedd Martha a'i mam yn edrych ar ei ôl tra bod Mr a Mrs Musgrave ar wyliau.

Roedd Sherlock ar ben ei ddigon gan ei fod wedi cael gwybod y byddai yntau'n aros yn 221B o hyn ymlaen hefyd! Roedd Mycroft yn mynd i'r brifysgol a byddai oddi cartre am ran helaeth y flwyddyn (neu tybed ydi o ar ymgyrch ddirgel yn rhywle?).

Roedd datgeliadau rhyfeddol Sherlock yn y penawdau, ac yntau'n seren yn Ysgol Stryd y Popty. Cwestiwn pawb oedd sut y llwyddodd i ddatrys y cyfan. Roedd dirgelwch yr amgueddfa'n swnio'n syml pan oedd o'n esbonio'r cyfan yn ei ffordd Sherlockaidd ei hun, ond doedd hynny'n difetha dim i mi. Dwi'n dal i feddwl bod y cyfan yn anhygoel – ac mae'n wallgo meddwl bod y diemwnt go iawn yno dan ein trwynau ni ers y cychwyn! Fe gawson ni docynnau aelodaeth i'r amgueddfa fel y gallwn ni ymweld â'r arddangosfeydd pryd bynnag y mynnwn ni, sy'n grêt. Ro'n i eisiau mynd 'nôl yr eiliad honno. A daeth gwahoddiad gan Ditectif Baker inni fynd i weld y comisiynydd heddlu i gael gwobr arbennig. Oedd, roedd bywyd yn dda a phopeth yn wych.

Ond roedd yna un peth bach yn dal i 'mhoeni i, ac roedd yn rhaid imi gael gofyn i Sherlock: "Sut gwyddet ti'r holl bethau yna amdana i pan gwrddon ni gynta?"

"Ha ha! Ydi hynny'n dal i dy gnoi di, John?" Roedd Martha ac yntau'n chwerthin. "O'r gorau," meddai, "ond os bydda i'n egluro popeth yr ydw i'n sylwi arno, bydd y cyfan i'w weld mor syml! Beth am ddechrau gyda dy enw di, ie?

"Pan ddest ti i mewn i'r labordy gyda Martha, roedd dy gyfenw a llythyren gynta dy enw i'w gweld yn glir ar y tag maes awyr ar dy fag. Fe awgrymais i mai James oedd y J ond roedd yr olwg yn dy lygaid di'n bloeddio 'na' ac roedd fy ail gynnig i, sef John, yn gywir. Roedd hi'n amlwg wedyn hefyd dy fod ti wedi bod dramor a newydd ddychwelyd ..."

"Roedd yna olion inc neu bensil ar dy fysedd di, a hynny'n dangos dy fod ti'n sgwennu neu'n sgetsio. Ac roeddet ti'n amlwg wedi cael trafferth dod o hyd i'r ysgol achos roedd tywod ar dy esgidiau ac ar waelod dy drowsus, felly rhaid mai o'r ochr lle mae'r gwaith ffordd ar hyn o bryd y dest ti i mewn. Yw hynny'n ddigon iti, neu oes angen imi ddal ati? Paid ag edrych mor syn arna i, John! Dwi ddim wedi arfer dy weld ti'n fud!

"Roedd y pethau bach eraill mor amlwg, gallai Baskerville fod wedi sylwi arnyn nhw. Y staeniau siocled poeth a'r darnau bach o grwst *croissant*, heb sôn am y paced o fisgedi oedd yn sbecian o boced dy gôt. Roeddet ti fel siop fwyd ar ddwy droed!"

Ro'n i'n rhy syfrdan i allu dweud dim. Yn ffodus, gydag amseru gwych, daeth Mrs Hudson i mewn â'r hambwrdd mwyaf o ddanteithion a siocled poeth a welais i erioed!

CH CH CH CH

LolBost.

Helô annwyl fab!

Gan: Mam
I: Watson, John

Dydd Mawrth 17eg

Haia, John,

Neges sydyn i ddweud bod dy dad a finnau wedi cyrraedd y Gwersyll Meddygol yn ddiogel. Efallai y bydd y cyswllt ffôn yn brin am rai dyddiau – ond dwi'n gobeithio y bydd ein gwaith yma'n hwylus ac y byddwn ni'n ôl cyn iti gael cyfle i ddechrau hiraethu amdanon ni!
Yn y cyfamser, rydyn ni'n sicr y bydd Mrs Hudson yn edrych ar dy ôl di, ac rydyn ni hyd yn oed yn fwy sicr y cei di amser gwych gyda dy ffrindiau. Rwyt ti'n haeddu gwyliau'n llawn sbort a sbri!
Fe gysylltwn ni cyn gynted ag y gallwn ni, iawn, cariad?

Cwtsh mawr gan Mam a Dad xx

Ac felly dyna ni. A dyna fi: John Watson, y bachgen sydd ddim-mor-newydd-â-hynny-bellach yn Ysgol Stryd y Popty, a dyna ddiwedd fy antur gyntaf. Eithaf difyr, yn doedd?! Rydw i wedi cwrdd â phobl anhygoel ac wedi gwneud ffrindiau mwy anhygoel fyth. A do, dwi wedi cwrdd â Sherlock Holmes.

Mi fydd yn chwith gen i heb Mam a Dad am ychydig fisoedd, er y bydd hi'n wych cael aros yn 221B gyda Mrs Hudson a Martha a Sherlock a Baskerville! A chan fod yr ysgol ar yr un stryd, mi alla i aros yn fy ngwely am hanner awr fach arall bob bore. Ac mae'r ddinas i gyd ar garreg y drws. Bendigedig! Mae 'na ddyddiau difyr i ddod, a bois bach, dwi'n edrych ymlaen yn barod!

Y DIWEDD?

CYDNABYDDIAETHAU

Gan fod lle ar ei gyfer, fe hoffwn i ddweud diolch mawr, na, fe hoffwn i ddweud diolch ANFERTHOL i'r tîm yn Scholastic UK. Am dros flwyddyn fe roeson nhw fi ar ben ffordd ac yna rhoi rhwydd hynt i fi ar y cynllun gwych, hollol anhygoel hwn.

Mae Andrew Biscomb, Samantha Smith, Genevieve Herr a Liam Drane wedi fy annog i bob cam ac wedi bod yn hynod gefnogol o'r diwrnod cyntaf. Rhaid i fi gyfeirio'n benodol at Emily Lamm, sydd wedi fy nioddef i am fisoedd ac a roddodd yr hyder i fi droi fy syniadau yn rhywbeth tebyg i stori.

Diolch i Jamie yn Elephant & Bird am lu o bethau, gan gynnwys gadael

Gan SAM HEARN

i fi fod yn rhan o'r gweithle a gwneud
i mi deimlo yn rhan o'r criw!
A hwrê fawr i Artisan East Sheen
lawr llawr, am fod yn griw hyfryd o
bobl ac am sicrhau bod gen i ddigon o
goffi blasus i 'nghadw i fynd
drwy'r dydd.

Yn olaf, diolch i Syr Arthur Conan Doyle
am yr anturiaethau anhygoel a
diolch hefyd i ystad Conan Doyle am
y pethau swyddogol – ac, wrth gwrs,
diolch am y cyfoeth o deunydd oedd
ar gael fel ysbrydoliaeth. Fel cynifer
o bobl o gwmpas y byd, dydw i'n ddim
mwy na ffan o Sherlock Holmes
a Dr Watson yn y bôn.

sam HEARN

saM HEARN

sam HEARN

PWY YN UNION YDI SAM HEARN?

Dwi wedi gofyn i bawb a does neb fel petaen nhw'n
gwybod llawer am y cymeriad amheus hwn. Efallai
fod hyn yn fwriadol, ond alla i ddim bod yn siŵr ...

Dwi wedi gwneud ychydig bach o gloddio, ac wrth
ymchwilio, mae'n edrych yn debyg ei fod wedi bod yn
ymyrryd yn llyfrau pobl eraill ers dros 15 mlynedd!

Yr hyn y galla i ei ddweud yw, mae'n bendant yn teimlo fel
pe bai rhywun yn ein dilyn ni ers i mi gyrraedd Ysgol Stryd
y Popty ... dydi Martha ddim yn hapus am hyn o gwbl – ac
mae Sherlock yn drwgdybio unrhyw un sy'n defnyddio'r
un llythrennau cynta i'w enw ag o. Mae'r cyfan yn hynod
o amheus os ydych chi'n gofyn i fi! Rhof wybod i chi os
bydda i'n dod o hyd i unrhyw beth arall.